ROA BASTOS

Juan Manuel Marcos

ROA BASTOS, PRECURSOR DEL POST-BOOM

Ensayo
1

editorial
KATÚN
s.a.

309327

Juan Manuel Marcos
ROA BASTOS, PRECURSOR DEL POST-BOOM

Primera edición:
© Editorial Katún, S.A. 1983
Rep. de Colombia núm. 6, primer piso, Centro
06020 México, D.F.
Tel. 529-58-68
Diseño: Consuelo Moreno
Formato: Rodolfo Espinosa C.

ISBN 968-43-0047-6

Impreso y hecho en México

PRÓLOGO

No quisiera abusar de este prólogo cometiendo la pedantería de "presentar" estos tres ensayos sobre la obra novelística de Augusto Roa Bastos. Algunas de las ideas que les han servido de hipótesis se pueden leer en las "Conclusiones" de este volumen.

Pero no puedo menos que dedicar una palabra de agradecimiento a las personas e instituciones que me ayudaron a preparar este libro, de lenta y viajera elaboración.

El Instituto de Cooperación Iberoamericana, del Ministerio español de Asuntos Exteriores, me concedió una bolsa de estudios, para realizar investigaciones bibliográficas en la rica colección latinoamericana de la Biblioteca Hispánica de Madrid, a mediados de 1980. La Universidad de Pittsburgh me otorgó dos becas, la de Humanidades 1980-81 y la Andrew W. Mellon 1981-82, más una ayudantía de cátedra en el verano de 1981, para cursar en ella estudios graduados. Estoy en deuda con el profesor Alfredo Roggiano, mi consejero, y los profesores John Beverley y Carmelo Mesa-Lago, miembros de mi comité doctoral, quienes aportaron valiosas sugerencias cuando trabajaba allí en estos ensayos, especialmente, el dedicado a *Hijo de hombre*. El bibliógrafo latinoamericano de esa universidad, don Eduardo Lozano, también me ofreció su asesoramiento especializado.

Las ideas que pude intercambiar con la profesora Jean Franco, a su paso por Pittsburgh, me estimularon profundamente. Como se puede imaginar, este escueto volumen —cuyos borradores cuadruplicarían inútilmente su extensión— ha sido objeto de una larga re-escritura. Agradezco a quienes me ayudaron a cribar críticamente en ellos, en la persona de mis colegas de Oklahoma State University, profesores Santiago García-Sáez y Luis Manuel Villar. Lejos de la patria, la palabra y el aliento moral de mis familiares y amigos en Asunción, aquéllos han sustentado, en el más amplio sentido, estos años de trasterramiento.

Reconozco profundamente a los directivos de la revista *Plural* por la generosísima hospitalidad que disfruté en la ciudad de México, en noviembre de 1982. Después de cinco años de ausencia de América Latina, el indescriptible calor humano de que me vi rodeado, allá, me estimuló muchísimo para decidirme a completar y publicar este estudio.

Dentro de la crítica paraguaya aprendí mucho de Edgar Valdés, experto en la llamada "generación de 1940," y de mi hermano mayor en la obra roana, el doctor Luis María Ferrer Agüero.

Augusto Roa Bastos me ratificó, como siempre, el tesoro de su amistad y su lucidez, personalmente en Madrid en 1979 y 1980, y en el área de Washington, D.C., en el simposio que le dedicó la Universidad de Maryland en marzo de 1981, así como a través de una nutrida correspondencia.

Greta Gustafson, mi esposa, fue y sigue siendo rigurosa y exigente lectora de mis borradores y, quizá por eso, entre otras cosas, una insuperable compañera.

Juan Manuel Marcos

Stillwater, enero de 1983.

6

RECAPITULANDO
HIJO DE HOMBRE

Si bien en *Hijo de hombre* (1960), la primera novela de
Augusto Roa Bastos (1917), apenas se insinúan algunos
rasgos estéticos y ciertas técnicas de vanguardia que
adquirirían en *Yo el Supremo* (1974) desarrollo y radicalidad experimentalista, su calidad literaria, universalmente consagrada, se encuentra por encima de modas
expresivas. En modo alguno una de estas obras puede ser
considerada inferior a la otra. Por otra parte, *Hijo de
hombre* constituye, aunque desde una perspectiva perso-
nalísima y algo amarga, una de las interpretaciones más
serias y profundas que se hayan ensayado, en cualquier
género, acerca de la historia y la psicología del hombre
paraguayo.

El protagonista de *Hijo de hombre* es Miguel Vera, un
campesino nacido en Itapé alrededor de 1905. Vera
estudia en la Escuela Militar de Asunción, y después
participa en una fracasada revuelta política y en la Guerra del Chaco entre Paraguay y Bolivia (1932-1935). Al
terminar la contienda lo nombran alcalde de su pueblo
natal, donde muere al dispararse accidentalmente su
propia pistola. Pero, en rigor, la novela presenta más
bien un protagonista colectivo —los hombres y las mujeres más humildes y desamparados del Paraguay—, pues,
al lado de Vera, desfilan numerosos personajes sólo en
apariencia secundarios.

Toda la narración se encuentra intensamente impregnada de una exasperada indignación social por las injusticias cometidas contra el pueblo paraguayo, sobre todo en sus capas más oprimidas: campesinos sin tierra, obreros del yerbal, antiguos esclavos, prostitutas, leprosos, niños sin padre... que Roa Bastos aprendió, según sus explícitas manifestaciones, del ensayista hispano-paraguayo Rafael Barrett, más que de un ideario político concreto, actitud que se complementa con un no menos apasionado humanitarismo cristiano, de tonos casi místicos, en la que pudo haber influido, en parte, la enseñanza de su tío, el cultísimo obispo Monseñor Hermenegildo Roa. Hay que considerar, por último, una tercera influencia, en el orden temático y estilístico: la del poeta Hérib Campos Cervera, pionero de las técnicas vanguardistas y la literatura social moderna en el país. Roa Bastos nació en Asunción, pero pasó su infancia en Iturbe, una modesta población, donde su padre trabajaba en un ingenio azucarero. Más tarde ingresó en el Colegio San José, uno de los más distinguidos de la capital. Participó como voluntario en la guerra chaqueña. Como periodista, viajó a Inglaterra y Francia en las postrimerías de la Segunda Guerra Mundial. A raíz de la guerra civil paraguaya de 1947, se trasladó a Buenos Aires, donde compuso la mayor parte de su obra. Ha desempeñado tareas docentes y hecho guiones cinematográficos. En 1971 le conceden una beca Guggenheim para creación literaria. Actualmente enseña en la Universidad de Toulouse (Francia), y realiza periódicas visitas al Paraguay. A pesar de su modestia personal y su rigurosa honestidad —que lo han mantenido, con impecable dignidad, al margen del mundillo comercial y engañoso del llamado *boom* de la novela hispanoamericana—, Roa Bastos está universalmente consagrado como uno de los maestros de la literatura contemporánea. Parte de su obra se ha traducido a casi todos los idiomas modernos, premiada con prestigiosas distinciones internacionales, y adaptada al cine. Sus colecciones de cuentos: *El trueno entre las hojas* (1953), *El baldío (1966), Madera que-*

mada (1967), *Los pies sobre el agua* (1967), *Moriencia* (1969), y, sobre todo, sus dos novelas, han cimentado la madurez literaria paraguaya. Ha producido, además, poemas (*El naranjal ardiente*, 1960), piezas teatrales, guiones cinematográficos y ensayos. Mientras escribo este trabajo, él prepara dos novelas, *Contravida*, y *El fiscal*.

Hijo de hombre comprende nueve capítulos que, aunque conectados sutilmente entre sí, mantienen cierta autonomía temática. Por otra parte, dichos capítulos pueden reagruparse en dos series: los impares se encuentran narrados en primera persona (Miguel Vera), y los pares, en tercera persona (que puede ser el mismo Vera o el autor onmisciente tradicional). Algunos críticos han polemizado sobre este problema del punto de vista en algunos de los textos recogidos en el recuento bibliográfico del presente estudio.

El primer capítulo, "Hijo de hombre", narra los recuerdos infantiles de Vera, de la época en que el cometa Halley cruzó el cielo de Itapé (1910):

> Me acuerdo del monstruoso Halley, del espanto de mis cinco años, conmovidos de raíz por la amenazadora presencia de esa víbora-perro que se iba a tragar el mundo.

El personaje de esos años que se ha grabado de manera indeleble en la memoria soñadora del protagonista es Macario Francia, un "viejecito achicharrado, hijo de uno de los esclavos del dictador Francia." Macario fascinaba a Vera y a otros chicos de su edad con impresionantes historias del pasado y oscuras meditaciones metafísicas...

> Lo escuchábamos con escalofríos. Y sus silencios hablaban tanto como sus palabras. El aire de aquella época inescrutable nos salpicaba la cara a través de la boca del anciano. Siempre hablaba en guaraní. El dejo suave de la lengua india tornaba apacible el horror, lo metía en la sangre. Ecos de otros ecos. Sombras de sombras. No la verdad tal vez de los hechos, pero sí su encantamiento.

9

—El hombre, mis hijos —nos decía—, es como un río. Tiene barranca y orilla. Nace y desemboca en otros ríos. Alguna utilidad debe prestar. Mal río es el que muere en un estero...

Él fluctuaba estancado en el pasado.

—El Karaí Guasú mandó tumbar las casas de los ricos y voltear los árboles —contaba—. Quería verlo todo. A toda hora. Los movimientos y hasta el pensamiento de sus contrarios, vendidos a los mamelucos y a los porteños. Conspiraban día y noche para destruirlo a él. Formaban el estero que se quería tragar a nuestra nación. Por eso él los perseguía y destruía. Tapaba con tierra el estero...

No le entendíamos muy bien. Pero la figura de El Supremo se recortaba imponente ante nosotros contra un fondo de cielos y noches, vigilando el país con el rigor implacable de su voluntad y un poder omnímodo como el destino.

Macario recuerda también, estremecido, los heroísmos y las penurias de la Guerra Grande (1864-1870), cuando el Paraguay fue asolado por los ejércitos aliados de Brasil, Argentina y Uruguay, financiados por el Imperio Británico. Poco antes de morir, ya muy viejo, "comido hasta los huesos" y como alucinado, contó a los niños la extraña y emocionante historia de su sobrino Gaspar Mora, un caritativo artesano, constructor de instrumentos musicales, que se había refugiado en el monte próximo al pueblo cuando enfermó de lepra. En su solitaria agonía, apenas había recibido la ayuda de María Rosa, una chipera, que, después, se volvió loca. Los habitantes de Itapé, encabezados por Macario, encontraron muerto a Gaspar, tirado en el monte, un día cercano al paso del Halley. Se dirigieron a su choza, para quemarla, y hallaron en ella la talla de un Cristo Crucificado, que había fabricado el artista leproso a su propia imagen y semejanza. La gente lo trasladó al pueblo, pero el cura se negó a admitirlo en la iglesia, ante la indignación de los itapeños. Roa Bastos aprovecha esta escena para poner en los labios de Macario su propio misticismo laico...

—...No podemos meter adentro esto... —dijo (el cura), pero se interrumpió al notar la creciente resistencia que

encontraban sus palabras—. Sí... mis queridos hermanos... Es cierto que tiene la figura de Nuestro Señor Jesucristo. Pero el enemigo es astuto. Usa muchos recursos. Es
capaz de cualquier cosa por destruir la salvación de nuestras almas. Es capaz de tomar hasta la propia figura del
Redentor... —recogió el aliento y prosiguió en tono de
admonición—: Y si no, piensen bien quién talló esta imagen... ¡Un hereje, un hombre que jamás pisó la iglesia, un
hombre impuro que murió porque murió porque!...

—¡Gaspar Mora fue un hombre puro!— le interrumpió el
viejo Macario con los ojos ásperamente abiertos.

Un rumor de aprobación apoyó sus palabras. El cura
quedó desconcertado.

—¡Fue un hombre justo y bueno! —insistió Macario—.
Hizo su trabajo. Ayudó a la gente. Todo lo que hizo tenía
fundamento. En todas partes hay huellas de sus manos, de
su alma limpia, de su corazón limpio... Donde suene un
arpa, una guitarra, un violín, lo seguiremos oyendo. Esto
fue lo último que hizo... —dijo señalando al Cristo—. Lo
trajimos del monte, como si lo hubiésemos traído a él
mismo. No está emponzoñado por el mal. La lluvia lo lavó y
lo purificó cuando lo traíamos. ¡Y mírenlo! Habla por su
boca de madera... Dice cosas que tenemos que oir...
¡Óiganlo! Yo lo escucho aquí... —dijo golpeándose el
pecho—. ¡Es un hombre que habla! ¡A Dios no se le
entiende... pero a un hombre sí!... ¡Gaspar está en él!...
¡Algo ha querido decirnos con esta obra que salió de sus
manos... cuando sabía que no iba a volver, cuando ya
estaba muerto!...

La gente estaba en un hilo. Nadie imaginó que el viejo
mendigo podía animarse a tanto contra el mismo cura; que
supiera decir las cosas que estaba diciendo.

Macario no discutía la religión. Eso se veía a las claras.
Sólo su sentido. La mayoría estaba con él. Se veía quiénes
eran. Los cuerpos tensos, la expresión de los semblantes
tocados por sus palabras.

Finalmente, tras muchos acontecimientos conflictivos, la
Curia autorizó la bendición de la imagen.

El escenario del segundo capítulo, "Madera y carne",
no es Itapé, sino Sapukai, un pueblo cercano —y ambos
también próximos a Iturbe, donde el autor vivió su
niñez—; transcurre cronológicamente en la época en que
Vera se encuentra estudiando en la Escuela Militar de
Asunción. El personaje central del relato no es éste, sino

Alexis Dubrovsky, un médico de origen ruso, de temperamento huraño y melancólico, pero caritativo y eficiente, que primero salva la vida de María Regalada, la hija adolescente del sepulturero del pueblo, y después se convierte en el curalotodo de Sapukai, sin olvidar a la colonia de leprosos de las cercanías...

La gente comenzó a agolparse todos los días alrededor del tabuco redondo, cada vez en mayor cantidad. Desde las compañías más distantes y hasta de los pueblos vecinos venían enfermos y tullidos en busca de curación, a pie, a caballo, en carreta. También los leprosos. El Doctor los atendía a todos, uno por uno, calladamente, pacientemente, sin hacer distinciones, negándose a cobrar a los más pobres, que optaron entonces por traerle alguna gallinita; otros, huevos y bastimentos, o telas de aó-poí, para remudar sus andrajos.

Construyó un alambique rudimentario donde destilaba esencia de hojas de naranja y un bálsamo medicinal para los lazarientos, que reemplazaba con ventaja al aceite de chalmugra.

Un acontecimiento que había marcado la vida de Sapukai era el choque de un convoy repleto de milicianos campesinos, protagonistas de un levantamiento agrario en 1912, con una locomotora llena de bombas enviada contra ellos por el comando militar de Paraguarí. El choque se había producido en plena estación de ferrocarril y ocasionado una matanza espantosa. El telegrafista Atanasio Galván, que había delatado a los revolucionarios, había ascendido entonces al cargo de "jefe político" de Sapukai...

El choque no se produjo en pleno campo, como lo habían previsto los autores de la contramaniobra. La huida del maquinista de los insurrectos alteró la hora de partida comunicada por el telegrafista. El gigantesco torpedo montado sobre ruedas, con su millar y medio de *shrapnells* alemanes, estalló en plena estación de Sapukai, produciendo una horrible matanza en la multitud que se había congregado a despedir a los revolucionarios. Luego vino la persecución y el metódico exterminio de los sobrevivientes.

El telegrafista, convertido en jefe político por su "heroica acción de contribuir a defender el orden y a las autoridades constituidas," —solía repetir a menudo con énfasis los considerandos de su nombramiento—, presidió los últimos fusilamientos en masa, el restablecimiento de la tranquilidad pública y luego, al cabo de los años, las obras de reconstrucción del pueblo de Sapukai.

El tercer capítulo, "Estaciones", consiste en la narración que hace Vera de su viaje en tren, de Itapé a Asunción, con el propósito de ingresar en la Escuela Militar. El muchacho viaja acompañado por una joven humilde, con un hijo pequeño, todavía lactante, en brazos; ella, Damiana Dávalos, se dirige a la capital con la intención de ver a su marido, que se encuentra encarcelado por motivos políticos. Vera escucha, durante el largo y cansado trayecto, las conversaciones monótonas de los otros pasajeros de segunda clase: un estanciero prepotente y unos estudiantes izquierdistas, que comparten democráticamente los chipás y la aloja que ofrecen las vendedoras de las estaciones por donde van pasando. También viaja en el tren, precisamente sentado frente a Vera, Alexis Dubrovsky, quien será arrojado por la fuerza por un grupo de pasajeros acalorados al pasar por Sapukai, instante en que comienza cronológicamente el capítulo 2, que acabo de resumir (Roa Bastos, un guionista cinematográfico profesional, es un experto en la técnica del montaje narrativo).

El cuarto capítulo, "Éxodo", configura un homenaje implícito al autor de *Lo que son los yerbales*. Ya indiqué que aquél se considera un heredero intelectual, y un continuador casi apostólico, de Rafael Barrett. Y, en efecto, este apartado es la descripción brutal del horripilante infierno de los obrajes yerbateros que había denunciado Barrett a finales de la década de 1900. Como en todos los relatos pares de *Hijo de hombre*, Vera se encuentra prácticamente ausente de la acción. En éste, los personajes principales son Casiano Jara, un "mensú", su mujer, Natí, y su hijo recién nacido, Cristóbal, que huyen de la ferocidad y la crueldad sin límites de los negreros del yerbal, a través de una heroica y desesperada travesía por la selva. La pluma de Roa Bastos exhibe todo su poderío descriptivo en las escenas electrizantes de este capítulo, sin duda el más brillante de la novela, por lo menos, en lo que se refiere a su ritmo trepidante, con escasos paralelos en las letras hispánicas contemporáneas, junto con el penúltimo, "Misión". No es casual el título de inspiración bíblica de este relato (como el de la novela, extraído del profeta Ezequiel: "Hijo del hombre, tú habitas en medio de casa rebelde...", XII, 2, que el autor emplea como epígrafe.) Sería inútil tratar de ofrecer una idea cabal de la fuerza y la perfección literaria de esta prosa, en la que cada línea parece grabada a fuego...

Ellos, pues, un hombre que apenas puede ya aguantar un machete, y una mujer que ya apenas puede sostener a su hijo, están intentando por segunda vez lo imposible. Se arrastran hacia la caída del sol.

Lo que les traba el lento avance y les cierra el paso no es tanto el yavorai inextricable, no tanto la fatiga, el hambre, la sed, la consunción, los remezones del desaliento. Lo que les hace cada vez más pesada la huida es el miedo, ese miedo lleno de ojos y oídos finísimos, que crece en ellos y se derrama hacia afuera, salido de madre. Van chapoteando por dentro de un estero, un estero lleno de miasmas, con islotes poblados de víboras que hacen sonar sus colas de hueso. Talonean inútilmente para despegarse de las ventosas del tremedal. Su propio miedo es lo que ven alrededor; las imágenes de su miedo. Se arrastran soñando despiertos en una pesadilla. De pronto surge ante ellos la figura del habilitado sobre el inmenso tordillo manduví. Surge y se apaga entre los reverberos de los matorrales, con ese único y terrible diente de oro que brilla bajo el sombrero. O es la silueta del comisario Kurusú la que aparece a horcajadas sobre el lobuno. O los capangas al galope volando sobre el agua negra, atravesando el monte entre los disparos de los winchesters. Tal vez las alucinaciones de los dos son distintas, pero el pavor es el mismo como son idénticos sus destinos.

La mujer lo sigue con ese envoltorio en los brazos del que a ratos escapa un berrido. A veces se dejan caer en la maleza. Quedan largo rato acezantes evitando mirarse a los ojos, porque entonces el terror de cada uno se duplica. Después se reincorporan y continúan la marcha interminable.

Horas y horas, las de dos días y dos noches, hace que se vienen arrastrando en esta pesadilla. Pero ellos ya han olvidado el comienzo. Tal vez vienen huyendo desde la eternidad.

El escenario del quinto capítulo, "Hogar", es, de nuevo, Sapukai. Allí han confinado a Miguel Vera, ya un oficial de carrera, por motivos disciplinarios. Allí entabla amistad con el joven Cristóbal Jara, apodado Kiritó (Cristo, en guaraní), hijo de Casiano y Natí, la pareja que había escapado del yerbal veinte años antes: Cristóbal convence a Vera para que ayude a un grupo de conspiradores revolucionarios, refugiados en el pueblo, sirviéndoles de instructor militar.

El sexto capítulo, "Fiesta", da un breve salto en el tiempo, y se sitúa poco después del fracaso de la conspiración —ya que Vera, borracho, había alertado involuntariamente a las autoridades de Sapukai—. La represión se ejerce inmediatamente. Vera, en una situación psicológica y moral ambigua, es encerrado en un calabozo. Sólo Cristóbal se ha salvado, escondiéndose en el cementerio de Sapukai, que sigue al cuidado de María Regalada y de su hijo, un adolescente rubio como su padre, el desaparecido Alexis Dubrovsky. Asediado por las patrullas gubernamentales, que lo buscan sin cesar, Cristóbal concibe un plan audaz: bajar al pueblo, donde la autoridad militar, el capitán Mareco, ha organizado una gran fiesta, confundido entre los leprosos que también invaden el patio del baile, provocando el pánico y el desbande de la concurrencia, incluida la orquesta. Sólo permanecen danzando los enfermos, con Cristóbal y María Regalada, al ritmo de la galopa que ejecuta el único músico que no ha escapado: un arpista ciego y sordo...

—¡Los lázaros..., los lázaros!— se oyó chillar despavoridas a las mujeres.
Hubo un desbande vertiginoso que incluyó en sus remolinos a los oficiales, a los soldados, a los músicos. Sólo el arpista continuó tocando, sordo y ciego a lo que ocurría. El capitán Mareco también permaneció parpadeando un instante más en medio de la ululante escapada. Entonces vio,

como en una gran pesadilla, a varias parejas de leprosos bailando grotescamente con sus cuerpos hinchados y roídos a la lívida luz.

En la penumbra de la parralera, Cristóbal y María Regalada se encontraron bailando entre las cabezas leoninas y los cuerpos deformes. El tufo del vivac estaba desapareciendo, tragado rápidamente por ese otro hedor salvaje y dulzón. Se apretujaron a su alrededor. Acaso Cristóbal distinguió alguna sonrisa de complicidad en las máscaras purulentas que se iban acercando en un ruedo cada vez más pequeño. María Regalada tenía una expresión plácida y misteriosa.

Salieron sin apurarse, protegidos por esa guardia de corps de fantasmas de carne, mientras el arpa seguía tocando vivamente una galopa en el salón desierto.

No cabe duda de que este cuadro tétrico y escalofriante, que parece arrancado al expresionismo más terrible de las "pinturas negras" de Goya, ha servido de argumento para la hipótesis formulada por la crítica sobre la presencia subyacente de cierto "romanticismo de lo espantoso" en la obra de Roa Bastos. (1) Pero este carácter, por otra parte evidente y nunca desmentido por el propio narrador —a quien he escuchado decir muchas veces que la realidad de algunos cuadros sociales, vistos por él en su adolescencia, superaría la ficción más truculenta—, subraya precisamente la inconsistencia de las improvisadas y pueriles conjeturas tejidas por algunos manuales y cronistas acerca del supuesto "naturalismo crudo" del estilo del máximo escritor paraguayo contemporáneo. Nada más alejado de la estética realista que la truculencia de este neorromanticismo de la desesperación y el heroísmo —tan entrañable a la historia del país—, cuyas técnicas nacen de un conocimiento minucioso y un manejo magistral del arte de vanguardia, y cuya sensibilidad comparte las preocupaciones existenciales de los costados más angustiosos de la literatura universal del siglo XX, sobre todo de los años de la segunda posguerra europea (de la que el autor de *Hijo de hombre* fue testigo directo). En otras palabras, a los realistas les interesaba la exactitud del dato, la precisión de la información, la verosimilitud de las situaciones, la fidelidad fotográfica del paisaje. Roa Bastos aprendió de Barrett un programa moral, pero no estilístico; emplea constantemente el contrapunto, el *flashback*, el monólogo interior, el laberinto, el cambio de punto de vista, etc., un conjunto rigurosamente nuevo de técnicas literarias, desconocidas a principios de siglo. Al parecer, Roa opina, ciertamente, que la realidad es cruda, pero no se propone escribir una novela realista sino poética, donde la verosimilitud se confunde con la fantasía, aunque ésta adquiera los crispados perfiles de una pesadilla.

El séptimo capítulo, "Destinados", que según parece es un diario íntimo de Vera, fechado desde el 1º de enero hasta el 29 de septiembre de 1932 (día de la primera gran victoria paraguaya, en Boquerón), se extiende, sucesivamente, en dos ambientes: la isla de Peña Hermosa, en el río Paraguay, adonde a éste lo habían finalmente confinado, a raíz de su frustrada participación en la conspiración de Sapukai; y el Chaco, adonde lo destinan al estallar la guerra con Bolivia. Vera comparte el aburrimiento, la pesca, las intrigas mezquinas de Peña Hermosa, con un grupo de prisioneros políticos, no menos desengañados y taciturnos que él. Hasta que, en agosto, se traslada al Chaco, donde se le asigna un regimiento. Sobre aquel vasto y sediento desierto, que los intereses petrolíferos internacionales y un viejo pleito de fronteras iban a bañar de sangre y penurias indescriptibles y gloriosas, Vera conoce a un personaje histórico, José Félix Estigarribia —el más brillante estratega militar latinoamericano de todos los tiempos—, y vuelve a fabular una profecía bíblica:

> Reunión en el casino de oficiales, lleno de bote en bote. El comandante en jefe ha querido saludar personalmente a los cuadros que iniciarán la reconquista del Chaco. Empresa casi utópica, y él, el soñador de esa utopía, por la que hasta hace poco se ametrallaba a la gente. Pequeño y circunspecto, el teniente coronel Estigarribia no trata de imponer su presencia. El uniforme sin presillas le va muy holgado. Hace el efecto de un hombre que ha crecido fuera de la ropa en una especie de grandeza un poco inhumana y fatídica, bajo su apariencia de buen padre de familia. "Esta va a ser

una guerra de comunicaciones —dijo de pronto con voz pausada y gangosa el ex discípulo de Foch, como si hablara consigo mismo—. Triunfará el ejército que consiga dominar las comunicaciones del enemigo. Sobre todo, el que consiga llevar agua a sus líneas. Porque ésta va a ser la *Guerra de la Sed*... —agregó después de una pausa, subrayando claramente sus últimas palabras—. ¡Brindo por nuestra victoria!..." Extraño brindis. Extraña estrategia. Extraño jefe.

Del otro lado está Kundt, el mercenario teutón. Dos escuelas europeas van a enfrentarse en un salvaje desierto americano, con medios primitivos, por intereses no tan primitivos. Es también una manera de actuar la civilización sobre un contorno inculto, encallado en el atraso del primer día del Génesis.

El regimiento de Vera forma parte de las fuerzas de cinco mil hombres, cuyo objetivo es retomar el fortín Boquerón. El itapeño tiene a su mando una compañía de 136 hombres. A comienzos de septiembre, aquél y los suyos reciben el bautismo de sangre, frente a Boquerón. Después de largos días de terribles sacrificios, la batalla "no lleva trazas, ni remotamente, de llegar a su fin." La compañía de Vera se extravía en los enmarañados cañadones próximos al fortín, donde padece el acoso de las tropas enemigas y, sobre todo, empieza a consumirse de sed. Vera hace un esfuerzo sobrehumano para no perder la lucidez, en medio de la fiebre y el agotamiento; sus hombres van desfalleciendo de sed uno tras otro; finalmente, antes de suicidarse, decide aliviar la agonía de los pocos que se retuercen todavía vivos, y los ametralla; en ese momento, como una aparición fantasmal, asoma en la boca de la picada un camión aguatero polvoriento y desvencijado, que habrá de salvarle la vida:

En medio de una nube de polvo, con las ruedas en llamas, el camión ha avanzado zigzagueando por el cañadón. He disparado también sobre él varias ráfagas, toda la cinta, sin poder pararlo, sin poder destruir ese monstruo de mi propio delirio. Ha seguido avanzando con el tanque bamboleante y las ruedas en llamas, erizado de vívidos penachos de agua, hasta embicar contra un árbol. Está ahí..., está llamándome...

18

La gran figura del capítulo octavo, "Misión", es Cristóbal Jara. El joven rebelde de Sapukai ha sido destinado como conductor de un camión aguatero, que debe auxiliar a una compañía perdida en la selva, cerca de Boquerón —se trata, como el lector puede sospechar, de la compañía de Vera—. La travesía del convoy aguatero pasa por toda clase de sacrificios, bombardeos, desfallecimientos. Muchos soldados mueren en el camino. Pero Cristóbal muestra una tenacidad tan sobrehumana como la de sus padres, Casiano y Natí, en su éxodo del yerbal, del capítulo 4. A su lado, como los de Magdalena, figuran el heroísmo y la abnegación de Salu'í (Pequeña Salud, en guaraní), una prostituta redimida, que por amor a Cristóbal se alista voluntariamente como enfermera en el convoy. Este camión es el último sobreviviente de la caravana, que no ha dejado de padecer el ataque desesperado de las tropas bolivianas, enloquecidas por la sed. La última agresión sólo deja con vida a Cristóbal y Salu'í, pero él tiene las manos destrozadas por las balas, y ella está herida de muerte...

> —¡Hay que seguir!... ¡Tengo que llegar!... —mascullaba Cristóbal con el semblante crispado en una tensión obsesiva, bajo su máscara enchastrada de tierra y de sangre.
> Los movimientos de Salu'í eran trémulos, penosos, pero la expresión de su semblante se fue serenando, como si la voluntad obsesiva de él se le contagiara e impusiera. Cuando terminó el vendaje, Cristóbal trepó con gran esfuerzo al camión, ayudado por ella. Se sentó al volante y se miró las dos manos vendadas, no con un sentimiento de impotencia, sino como cavilando una extrema solución. Una vez más dijo entre dientes:
> —¡Tengo que llegar!

Entonces, Cristóbal ordena a Salu'í que saque alambre del cajón de herramientas, y le ate una mano al manubrio, y la otra, a la palanca de cambios. Después de ayudarlo, ella se desploma de bruces al costado del camión, y muere. Conmovido, pone en marcha el motor y mete el vehículo, con su precioso cargamento de agua, en la picada. Con las ruedas en llamas aparece en el cañadón en el que Vera, alucinado por la sed —como se había visto en el capítulo precedente—, lo confunde con un espejismo, y lo cubre con varias ráfagas de ametralladora. La escena final de "Misión", propia de la más pura hagiografía cristiana, muestra la imagen de Cristóbal (Cristo), fulminado por las balas del traidor Vera (Judas), al que había llegado, con un esfuerzo sobrenatural, a salvar. Simultáneamente, el cuadro es una oda elegíaca al heroísmo y la hidalguía trágica y generosa del pueblo paraguayo:

> Varias ráfagas de ametralladora, imprecisas, balbuceantes, como disparadas por un ebrio o un loco, astillaron finalmente los vidrios, pero el camión siguió avanzando en zigzag, avanzó unos metros más. Se detuvo. Al chocar contra un árbol se detuvo. Un gran chorro de agua saltó por la boca del tanque sobre las llamaradas que llenaban de sombras el cañadón de nuevo silencioso. La bocina empezó a sonar, trompeteando largamente, inacabablemente...
> El camionero estaba caído de bruces sobre el volante, en la actitud de un breve descanso.

El noveno y último capítulo, "Ex combatientes", tiene, de nuevo, como escenario, a Itapé. La guerra ha concluido. Miguel Vera es alcalde del pueblo. Pero el personaje principal del relato es Crisanto Villalba, un ex combatiente heroico, condecorado, que representa el abatimiento, la desilusión, el abandono en que vuelven a caer los campesinos que habían acudido en masa para defender, victoriosamente, el territorio nacional. En rigor, este epílogo constituye un anticlímax del vibrante relato anterior. Su tono lento, nostálgico, melancólico, lo recorre casi como un himno fúnebre..., acaso todavía con la delgada esperanza anunciada en el epígrafe de la novela, por el Himno de los Muertos de los Guaraníes: "...He de hacer que la voz vuelva a fluir por los huesos... Y haré que vuelva a encarnarse el habla... Después que se pierda este tiempo y un nuevo tiempo amanezca..." Finalmente, el niño Cuchuí, hijo de Crisanto, mata de un tiro por la espalda a Vera, cuando se le dispara, de modo aparentemente casual, la pistola que el alcalde le había dado para que jugara.

Esta descripción condensada de *Hijo de hombre*, que no he hallado en la copiosa bibliografía existente sobre la novela, me ofrece condiciones para indagar acerca de la teoría sobre la identidad nacional, que, a través de su peculiar lenguaje estético, y desde un punto de vista medularmente paraguayo, formula esta obra.

Las dos grandes corrientes críticas que se han ocupado de *Hijo de hombre*, la sociológica y la mítica, han explorado el universo simbólico de este texto no pocas veces con indiscutible acierto. Entre los que militan en la primera, el acierto ha llegado a convertirse en profecía, como en el caso de Mario Benedetti, que muchos años antes de la publicación de *Yo el Supremo* conjeturaba:

> La historia no acaba con la muerte de Vera, aunque la novela se detenga en ella; la historia sigue, porque el futuro es enorme, todavía se está haciendo, y a nadie le extrañaría que Roa Bastos, dentro de unos años, retomara todos los cabos y personajes sueltos y nos brindara una nueva instancia de su extendida, conmovedora metáfora nacional... (2)

El propio Roa Bastos alentó la lectura sociológica de la novela al recibir el Premio Losada, confesando que consideraba a *Hijo de hombre* como literatura "comprometida hasta los huesos con el destino del hombre", y —añadía con más claridad aún—, "no con intereses o consignas circunstanciales." (3)

Una variante del enfoque sociológico, de tendencia historicista y psicológica, es la de Hugo Rodríguez-Alcalá, uno de los críticos paraguayos que con más seriedad y constancia se han consagrado al estudio de esta novela. La hipótesis de Rodríguez-Alcalá consiste en denominar a *Hijo de hombre*, empleando el concepto unamuniano, una "intrahistoria" del Paraguay; es decir, un "adentrarse a fondo en las entrañas espirituales de su patria... de tal modo que el lector se siente como presenciando, a través del fluir de ficciones simbólicas, las peripecias de un drama cuyo protagonista es todo un pueblo..." (4) Otro crítico paraguayo, Edgar Valdés, ha definido brillantemente este esfuerzo creador como "la presentación muralística de la tragedia paraguaya, esa poética conversión de un mundo real en un mundo de sueño." (5)

Desde una perspectiva mítica, se han estudiado el simbolismo cristiano y la alegoría social en *Hijo de hombre*; y hasta ambos simultáneamente, como lo ha hecho Urte Lehnerdt. (6) David William Foster ha examinado la figura del Cristo Crucificado como símbolo narrativo (7); y Adriana Valdés e Ignacio Rodríguez, la fuerza social del mito, que —como advierten lúcidamente—, "nace de la necesidad humana universal de no morir del todo y de integrar cada vida humana en una estructura de sentido." (8) La última simbología estudiada en esta novela —fuente inagotable de símbolos—, entre las que he leído, es nada menos que la del agua. (9) Y, en efecto, como dice Jean Andreu, el autor del estudio, "hablar del hombre y el río en la obra de un escritor paraguayo", es como "hablar del indio y la sierra en la literatura peruana, o del hombre y la ciudad en los escritores de Buenos Aires":

> Cuando en su *Oda a las Américas* Pablo Neruda evoca el Paraguay bajo la sucinta imagen de "turquesa fluvial", todo está dicho. Para el Paraguay, el río tiene una función referencial ineludible si se considera que este pequeño país dispone de una red hidrográfica que es una de las más densas del mundo. El propio nombre del país es el de un río, el Paraguay, río epónimo, como ocurre también con la Argentina y el Uruguay, que constituyen con el Paraguay lo que se ha convenido en llamar la cuenca del Río de la Plata. La vida histórica del Paraguay viene sellada desde los orígenes por el signo del río. Río natural de los guaraníes. Río fatal del descubrimiento y de la conquista por los españoles. Río político de la Colonia y la Independencia. Río "económico" por fin, en la actualidad, sobre el que se ciernen los intereses de los imperialismos y multinacionales en torno a la represa paraguayo-brasileña de Itaipú y al proyecto paraguayo-argentino de Yaceretá (sic).

El emprendimiento hidroeléctrico de Yacyretá, ciertamente, será uno de los diez más grandes del mundo; y el de Itaipú, el mayor. Pero ambos no aprovecharán las aguas del río Paraguay, sino las del Paraná. El ejemplo, de todos modos, es válido.

Mas allá de estas contribuciones, y de otras no menos importantes, creo que es necesario definir, o siquiera aventurar una hipótesis, acerca de la idea de la identidad nacional, no sólo paraguaya, sino también latinoamericana, que sugiere *Hijo de hombre*.

Augusto Roa Bastos, acaso nunca con tanta claridad como en *Hijo de hombre*, define al hombre latinoamericano —desde su comprometida visión de paraguayo—, como una voluntad heroica de sobrevivir; así, la identidad nacional de nuestra América es vislumbrada como una auténtica cultura de la resurrección.

¿Cuál había sido la evolución ideológica fundamental del Paraguay, hasta que Roa Bastos hereda el legado intelectual de Barrett? El doctor José Gaspar de Francia fundó el Estado paraguayo inspirado en el pensamiento de Jean Jacques Rousseau; no sólo el del filósofo iluminista, que hablaba del contrato social, sino también el del romántico, que desconfiaba de la cultura y hacía la apología de la pureza esencial y la incontaminada inocencia original del hombre: Francia morirá convencido de que su perpetua dictadura había nacido y se había desarrollado mediante la legitimación popular, y de que pocas medidas, entre las severas que había adoptado, le fueron tan provechosas al pueblo paraguayo como el estrangulamiento absoluto de toda clase de educación superior. Su sucesor, Carlos Antonio López, somete el proyecto francista a una reforma que casi puede denominarse una ruptura, mediante el fomento intensivo de la formación técnica y humanística especializada, como palanca insustituible de la industrialización y la autonomía económica y, por tanto, de la soberanía política. Los errores del viejo López —un eterno indeciso en materia internacional— serían diplomáticos, como su ingenua alianza con los enemigos de Rosas— cuyo federalismo oligárquico, si bien estaba lejos del modelo más popular de capitalismo de Estado, impulsado por el Paraguay, al menos contrapesaba eficientemente la fuerza del principal peligro de los intereses nacionales, regionales y populares en la Cuenca del Plata: la burguesía del Brasil y de Buenos Aires, a la que el neocolonialismo inglés prestaba argumentos ideológicos, y no tardaría en añadir los materiales, contra el Paraguay. Cuando a la muerte natural del sedentario patriarca el Congreso elije como sucesor a su hijo, Francisco Solano López —el estadista mejor preparado y más prestigioso de entonces, en todo el Río de la Plata—, los problemas se multiplican. A diferencia de su padre, Solano López era un excelente diplomático que, al ascender a la presidencia, podía exhibir no sólo una brillante experiencia como tal nutrida en Londres, París, Madrid, Roma y Cerdeña, sino también una exitosa mediación en la guerra civil argentina de 1859, como árbitro internacional admitido por ambas partes. Solano López estaba muy consciente de los intereses neocoloniales ingleses y norteamericanos en la región, y de que el presidente argentino Bartolomé Mitre —que acababa de subir al poder— representaba la actitud oligárquico-liberal, antipopular, y probritánica en su país, tanto como el emperador brasileño, Pedro II, en el suyo. Trató por todos los medios de limar las situaciones conflictivas con uno y otro. Cortejó diplomáticamente a los Estados Unidos —barrera, en esa época, frente a las ambiciones inglesas—. Instruyó al Encargado de Negocios del Paraguay ante los gobiernos de Londres y París para que divulgara en Europa los fundamentos de la causa paraguaya. Estimuló las simpatías hacia su país entre los caudillos provinciales, y los intelectuales progresistas, antimitristas de la Argentina. Y, finalmente, cuando, a pesar de todo, el Brasil invadió brutalmente el Uruguay, e impuso en él un gobierno títere, con la complicidad de Buenos Aires, no tuvo más remedio que declarar la guerra. El Paraguay era entonces el Estado más desarrollado de Sudamérica, y contaba con un gobierno de genuino carácter nacional y popular, a diferencia de los del Brasil, la Argentina y el Uruguay —que firmaron un tratado de Triple Alianza contra el

Paraguay—. Solano López nunca soñó hacer una guerra de conquista; su proyecto, evidentemente, era el de una guerra defensiva, o mejor dicho, "diplomática". De otro modo no se explica el hecho de que, en vez de enviar sus tropas en auxilio de los uruguayos nacionalistas, que las aguardaban desesperadamente en Paysandú, en el Sur, las enviara al Norte, con el fin de ocupar la provincia brasileña de Matto Grosso. Esta acción militar, que muchos historiadores neocolonizados interpretaron como "una locura más del tirano", revela más bien su genio político.

Matto Grosso era entonces una localidad aislada del inmenso cuerpo geográfico del Brasil; su acceso más viable era el río Paraguay: de ahí que la primera medida paraguaya fuese capturar el barco brasileño Marqués de Olinda, que transportaba por aguas nacionales al nuevo presidente de dicha provincia ("otra locura del tirano"). Una columna terrestre y otra fluvial aseguraron de manera fulminante, para el disciplinado ejército paraguayo, todas las zonas limítrofes en viejo litigio y los puertos más importantes sobre el río, y ocuparon Matto Grosso en menos de quince días. Solano López estaba ahora en condiciones más ventajosas; pero no lo suficiente. Envió pues otro ejército, esta vez hacia el Sur, que intentó alentar el levantamiento de los disidentes argentinos de Misiones y Corrientes, y se instaló en el territorio brasileño de Uruguayana, donde su jefe —traicionando las órdenes de López— capituló sin ofrecer resistencia. Pero está claro que la intención del estadista paraguayo no era la de agredir gratuitamente a sus vecinos, sino ubicarse en posición favorable para negociar el equilibrio del Plata —soberanía del Paraguay, neutralidad del Uruguay—, con Mitre y Pedro II, sobre la base de una ocupación estratégica de territorio brasileño y argentino, y la solidaridad de los disidentes uruguayos y ciertas provincias argentinas. Pero los aliados no querían negociar, sino aplastar hasta sus raíces el modelo paraguayo, especialmente los brasileños. El 12 de septiembre de 1866, tras dos años de combates, López se entrevistó con Mitre, el comandante de los ejércitos aliados, y le ofreció la paz en términos honorables para ambas partes; no fue una oferta desesperada, ya que diez días después, mientras eso se discutía en Buenos Aires y Río de Janeiro, el ejército paraguayo destruyó, casi por completo, al ejército aliado en Curupayty. Sin embargo, el emperador del Brasil se opuso terminantemente al cese de las hostilidades. López comprendió que la que él había imaginado una "guerra de caballeros" se había convertido en una sucia "guerra de exterminio", en un salvaje genocidio, de origen neocolonialista, y, con melancólica lucidez escribió:

> ...buscaba entonces en Yataity-Corá... la reconciliación de cuatro estados soberanos de la América del Sur, que ya habían principiado a destruirse de una manera notable, y, sin embargo, mi iniciativa, mi afanoso empeño, no encontró otra contestación que el desprecio y el silencio... Desde entonces vi más clara la tendencia a la guerra de los aliados *contra la existencia* de la República del Paraguay... Vuestras Excelencias tienen a bien notificarme el conocimiento de los recursos de que pueda actualmente disponer, creyendo que yo también pueda tenerlo de la fuerza numérica del ejército aliado y de sus recursos, cada día crecientes.
> Yo no tengo ese conocimiento; pero tengo la experiencia de más de cuatro años de que la fuerza numérica y esos recursos nunca se han impuesto a la abnegación y bravura del soldado paraguayo, que se bate con la resolución del ciudadano honrado y del hombre cristiano, que se abre una ancha tumba en su patria antes que verla siquiera humillada..., y que cada gota de sangre que cae en la tierra es una nueva obligación para los que sobreviven.

López cumplió su palabra. (10) Murió asesinado por la caballería imperial brasileña, frente a sus últimos soldados, el 1º de marzo de 1870, después de cinco años de tenaz resistencia, sin escuchar las voces que trataban de convencerlo para que abandonase a su pueblo, y pasase a disfrutar —como muchos políticos latinoamericanos— de un exilio seguro. Poco antes de su muerte, había anunciado a su hijo Emiliano, que se encontraba en Nueva York: "La guerra, sin embargo, no puede durar mucho, y si la Patria se salva, todo estará salvado; pero si por desgracia cae, yo caeré con ella." (11)

El Paraguay de posguerra fue reconstruido por la burguesía antilopista, bajo la tutela de la Argentina y el Brasil, que actuaban como agentes del neocolonialismo inglés. Las instituciones fueron reorganizadas dentro de la estructura diseñada por el liberalismo oligárquico, cuyos principales ideólogos fueron los positivistas José Segundo Decoud y Cecilio Báez. Las primeras ideas que se enfrentaron a la ortodoxia spenceriana dominante fueron, todavía tímidamente, las de Blas Garay y Manuel Gondra — que evitaron someterse a la condena pública que todo intelectual y político de entonces, con sueños de hacer carrera, debía formular de modo enfático contra el pasado histórico de Francia y los López—. Pero, en la primera década del siglo, surgieron dos voces decididamente potentes, que sacudieron enérgicamente al positivismo neocolonizado: Manuel Domínguez y Rafael Barrett. El primero —con mucha más lucidez que sus seguidores, como Fulgencio R. Moreno, Ignacio A. Pane, y Juan E. O'Leary—, mediante una campaña audaz, casi escandalosa, que hacía la apología del pueblo paraguayo, del "alma de la raza" nacional; y, el segundo, convertido en redentor moral de los más graves perjudicados por el capitalismo dependiente de posguerra: los obreros de los yerbales. (12)

El gran reivindicador de López fue O'Leary, dueño de una prosa poética fulgurante. Moreno trató de superar el positivismo en el campo de la historia económica; y Pane en el de la sociología. Esta generación de los "novecentistas" paraguayos tiene, sin excepción, un mérito extraordinario, incluido el propio Báez, que fue un maestro universitario verdaderamente abnegado y enciclopédico, y de una honestidad personal intachable. Tampoco se puede negar el aspecto provechoso que significó para el país la presencia de los intelectuales "legionarios", sin duda talentosos, como el mismo Decoud, que en 1890 impulsó la creación de la Universidad Nacional de Asunción.

Pero fueron Domínguez y Barrett quienes demolieron los argumentos ideológicos, por otra parte muy simplistas y antipáticos, del positivismo criollo. Decoud y Báez explicaban la solidaridad del pueblo con la causa lopista afirmando que la dictadura del doctor Francia había "cretinizado" a las masas, y que los López se habían sostenido mediante el terror. El origen de la guerra se atribuía a la supuesta megalomanía de Solano López, quien —decían— se autoconsideraba el "Napoleón del Plata". El positivismo recomendaba, en suma, abrazar la causa oligárquico-liberal, y "regenerar" al país por el camino de la "civilización." Esta "civilización" consistió en la enajenación de las inmensas tierras fiscales en favor del capitalismo extranjero, la instalación en el Paraguay de verdaderos semifeudos negreros —como el de los yerbales—, y la promulgación de una Constitución de preceptos liberales, crónicamente burlados por el caciquismo y la violencia política.

La respuesta de Domínguez consistió en la creación de una ideología extraída de sus muchas lecturas filosóficas europeas, la mayoría de las veces contradictorias entre sí —era hombre de temperamento fogoso y ecléctico—, pero, sobre todo, de la realidad nacional, una realidad que clamaba a gritos por una campaña de restauración moral de la nacionalidad. El neonacionalismo histórico de Domínguez nació así intensamente narcisista y reivindicatorio, pero no tan miope ante las situaciones sociales como algunos críticos han denunciado: en 1922 propuso enérgicamente la nacionalización de las empresas extranjeras para beneficio del país, y no de "los que le succionan desde lejos"; la soberanía económica —afirmó— permitió al Paraguay "armarse formidablemente, extender la primera línea férrea y el primer hilo telegráfico..." Y concluía, sin miopía alguna:

Después de la Guerra el Paraguay decae por más de medio siglo. Es que su oro en polvo pasó a La Industrial Paraguaya, a manos extrañas... Desde entonces el río de oro corre al exterior. Única consecuencia para el Paraguay: en los 20 mil peones yerbateros ve perecer la flor de su raza. (13)

Por su parte, Barrett no compuso exclusivamente sus exasperadas descripciones de la pavorosa explotación de los "mensú" en los yerbales. También meditó profundamente acerca del "alma de la raza", o como él la llamaba, "el genio nacional." En realidad, esta era *la máxima preocupación* de los principales noventaiochistas españoles —Unamuno, Machado— y, desde luego, la de Barrett, que había recibido la misma formación que ellos en la Península. Por eso no debería sorprender que ese "extranjero", como lo veían algunos, escribiera en "El genio nacional" estas palabras que podía haber firmado Domínguez:

> *Hacerse paraguayo* ha de valer una realidad, y no una fórmula... *Ser paraguayo* ha de significar algo definido, inconfundible... Cada individuo, cada pueblo, antes de ser esto o lo otro, ha de empeñarse en ser, en ser él mismo... El Paraguay, por lo castizo de su origen, por lo que ha sufrido y se ha templado en una guerra cruel, y también por lo reducido de su extensión, está predestinado a crearse un carácter potente y fecundo. Ese carácter representa para todos la grandeza futura. (14)

¿"Socialista", el "idealista" Domínguez? ¿"Metafísico", el "marxista" Barrett? Estas preguntas sólo pueden quitar el sueño a quienes forcejean a toda costa, e inútilmente, para meter en clasificaciones absurdas el pensamiento de los genuinos ideólogos que, por su propia naturaleza original, impide todo tipo de etiquetamiento prefabricado, so pena de resultar criminalmente adulterado.

Roa Bastos hereda esa obsesión por el pasado histórico nacional. Pero Barrett le enseña a asumir una actitud humanitaria y decididamente popular, y a revisar no sólo el pasado, sino también la realidad presente del país. Y el legado cristiano —la moral barrettiana era, en esencia, ardorosamente cristiana—, le educa en una visión ecuménica, universal, de dicha realidad. La literatura —afirma el autor de *Hijo de hombre*— debe indagar la "realidad profunda del individuo", y esa exploración, aún a través del género fantástico, "no lo recorta ni aísla del contexto social." (15)

Por tanto, *Hijo de hombre*, tan densamente poblada de mitos y cuadros sociales, no traza una lectura mítica ni sociológica del Paraguay, sino una versión antropológica del hombre latinoamericano y universal —si se me permite esta tautología—, cifrada en una visión profundamente esperanzada, a pesar de su exasperación, del hombre paraguayo, en su voluntad colectiva de sobrevivir. Gaspar resucita en el Cristo —símbolo de la unidad de la comunidad—, como el pueblo paraguayo renace del exterminio cometido por la Triple Alianza, y se reencuentra en los sacrificios y la gloria del Chaco. Casiano y Natí resucitan en su hijo, en el heroísmo generoso y desinteresado de Cristóbal. ¿Por qué dice Roa Bastos que Cristóbal reclina su cuerpo inerte como en "un breve descanso"? ¿Por qué "breve"? ¿Es que va a "resucitar al tercer día"? El autor está seguro de ello:

> Para mí, la literatura es un acto de vida, y ya sabemos que la base de toda cultura es precisamente este sentimiento de la vida..., no conozco personalmente ninguna cultura guiada por el sentimiento de la muerte, aunque éste esté hasta en la inconsciencia de los sueños. En el caso del Paraguay, este compromiso con la vida es fundamental: sólo un país como el mío puede haber sido muerto tantas veces, y sólo los pueblos son capaces de resucitar una y otra vez. (16)

Esta definitiva sobrevida del pueblo del Paraguay, de las comunidades de nuestra América —dice Roa Bastos—, será el resultado de una victoria no menos definitiva en la lucha por la homogeneidad y la coherencia interna de nuestras sociedades, empezando por la revelación de las raíces de nuestra identidad nacional. Esta es, además, la condición de toda literatura y todo pensamiento definitivamente maduros. El Paraguay, Latinoamérica, deben reaprender el camino hacia sus raíces, comenzando por el más profundo respeto de las culturas autóctonas, como las de los reducidos grupos indígenas guaraníes, en vías de extinción, y cuyos cantos "no tienen parangón en toda la escritura paraguaya escrita en castellano hasta el presente." (17) El programa que Roa Bastos sugiere a los escritores paraguayos es el de "lucidez, coraje y pasión, esperanza en el Hombre... contra la desesperación y la incertidumbre", que deben ser ahondados "en la fraternidad con sus semejantes..." (18) Cada pueblo de nuestra América, inspirado en esos sentimientos, debe forjar su propia identidad cultural, su literatura, su soberanía histórica y espiritual. Y en esta heterogeneidad, por fin, no deben ver sino un fascinante desafío por integrar armónicamente "esta pluralidad y este fragmentarismo", pues, a pesar de ellos, "el sentimiento de la comunidad de destino, de la unidad histórica y cultural entre los países latinoamericanos, se mantiene intacto." (19)

Quizá como testimonio de que la obra de un escritor vivo permanece siempre abierta a nuevas re-escrituras, *Hijo de hombre* ha ganado un nuevo capítulo, "Madera quemada," que Roa Bastos acaba de añadir en Toulouse. (20)

NOTAS

(1) Cf. Hugo Rodríguez-Alcalá, "La narrativa paraguaya desde 1960 a 1970", *Nueva Narrativa Hispanoamericana núm. 1 (1972), p. 43.*

(2) Cf. Mario Benedetti, "Roa Bastos, entre el realismo y la alucinación", en Helmy F. Giacoman, ed., *Homenaje a Augusto Roa Bastos, variaciones interpretativas en torno a su obra* (Long Island City, New York: Anaya-Las Américas, 1973), p. 23.

(3) Citado por Clara Passafari de Gutiérrez, "La condición humana en la narrativa de Roa Bastos", en Giacoman, *Homenaje...*, p. 29.

(4) Cf. Hugo Rodríguez-Alcalá, *"Hijo de hombre,* de Roa Bastos y la intrahistoria del Paraguay", en Giacoman, *Homenaje...*, p. 69. Este trabajo fue leído por Rodríguez-Alcalá en la Universidad de Oxford, Inglaterra, durante el Primer Congreso Internacional de Hispanistas celebrado en septiembre de 1962.

(5) Cf. Edgar Valdés, "Literatura paraguaya y realidad nacional", *Criterio* Segunda Época, núm. 2 (1977), p. 13.

(6) Cf. Urte Lehnerdt, "Ensayo e interpretación de *Hijo de hombre* a través de su simbolismo cristiano y social", en Giacoman, *Homenaje...*, pp. 169-185.

(7) Cf. David William Foster, "The Figure of Christ Crucified as a Narrative Symbol in Roa Bastos *Hijo de hombre", Books Abroad* 37 (1963), pp. 16-20.

(8) Cf. Adriana Valdés e Ignacio Rodríguez, "*Hijo de hombre*: el mito como fuerza social", en Giacoman, *Homenaje...*, pp. 148-149.

(9) Cf. Jean Andreu, "El hombre y el agua en la obra de Augusto Roa Bastos", *Revista Iberoamericana* núms. 110-111 (1980), pp. 97-121.

(10) Cf. la cita precedente en Francisco Solano López, *Proclamas y castas* (Buenos Aires: Editorial Asunción, 1957), pp. 184-185. El subrayado es mío.

(11) Cf. López, *Proclamas...*, p. 196.

(12) Cf. una hipótesis sobre la relación ideológica entre Barrett y los "novecentistas" paraguayos en mi artículo "El problema de la historia en la obra de Barrett", *Estudios Paraguayos* núm. 1 (1976), pp. 167-174.

(13) Citado por Domingo Laíno, *Paraguay: de la independencia a la dependencia, historia del saqueo inglés en el Paraguay de la posguerra* (Buenos Aires: Ediciones Cerro Corá, 1976), p. 234.

(14) "Paraguay mío, donde ha nacido mi hijo, donde nacieron mis sueños fraternales de ideas nuevas, de libertad, de arte y de ciencia que yo creía posibles —y creo aún, ¡sí!— en este pequeño jardín desolado, ¡no mueras!, ¡no sucumbas! Haz en tus entrañas, de un golpe, por una hora, por un minuto, la justicia plena, radiante, y resucitarás como Lázaro." Rafael Barrett, *El dolor paraguayo* (Montevideo: O. M. Bertani Editor, 1911), p. 224. "El genio nacional" puede consultarse en Rafael Barrett, *Obras completas* (Buenos Aires: Editorial Americalee, 1954).

(15) Cf. Augusto Roa Bastos, "Imagen y perspectivas de la narrativa latinoamericana actual", en Juan Loveluck, ed., *Novelistas hispanoamericanos de hoy* (Madrid: Taurus Ediciones, 1976), p. 61.

(16) Declaraciones de Roa Bastos en una entrevista realizada por Rosa María Pereda, en Madrid, *El País*, 21 de marzo de 1980.

(17) Augusto Roa Bastos, "Introducción", en su compilación *Las culturas condenadas* (México: Siglo XXI Editores, 1978), p. 13. Cf. mi reseña en *Latin American Indian Literatures* 5, 1, 1981.

(18) Augusto Roa Bastos, "Pasión y expresión de la literatura paraguaya", *Universidad* núm. 44 (1960), pp. 175-176. En este artículo, su autor comenta, además, algunos aspectos del bilin-

güismo paraguayo. Cf. su "nota del autor" a "Lucha hasta el alba" en su *Antología personal* (México: Nueva Imagen, 1980), pp. 185-186, en la que confiesa que su madre le leía textos bíblicos por las noches, en su niñez, y los comentaba "invariablemente" en guaraní, "reinventándolos a veces en un tiempo más cercano y con personajes conocidos."

(19) Roa Bastos, "Imagen...", p. 56.

(20) Augusto Roa Bastos, "Madera quemada," *ABC Suplemento Cultural* (Asunción), 14 de noviembre de 1982, pp. 4-5. Ubicado ahora como penúltimo capítulo, entre "Misión" y "Ex combatientes," este episodio autónomo narra los abusos que comete el lascivo cacique político de Itapé, Melitón Isasi, durante los años de guerra en el Chaco, hasta que termina ajusticiado, crucificado en el cerro. De breve extensión, no altera para nada el desarrollo argumental de la primera versión de la novela.

BIBLIOGRAFÍA

Agosti, Héctor P. "La problemática de Roa Bastos." En su *La milicia literaria* (Buenos Aires: Ediciones Sílaba, 1969), pp. 133-137.

Ainsa Amigues, Fernando. "Un realismo de la imaginación." *Mundo Nuevo* núm. 11 (1967), pp. 78-80.

Aldana, Adelfo L. *La cuentística de Augusto Roa Bastos* (Montevideo: Ediciones Géminis, 1975).

——————. "Lo universal en la cuentística de Augusto Roa Bastos." *Explicación de Textos Literarios* núm. 1 (1975-76), pp. 53-60.

Andreu, Jean L. "*Hijo de hombre* de A. Roa Bastos: fragmentación y unidad." *Revista Iberoamericana* núms. 96-97 (1976), pp. 473-483.

——————. "El hombre y el agua en la obra de Augusto Roa Bastos." *Revista Iberoamericana* núms. 110-111 (1980), pp. 97-121.

Bareiro Saguier, Rubén. "Noción del personaje en *Hijo de hombre*." *Nueva narrativa hispanoamericana* 4 (1974), pp. 69-74.

Benedetti, Mario. "Roa Bastos entre el realismo y la alucinación." En su *Letras del continente mestizo* (Montevideo: Editorial Arca, 1967), pp. 88-92.

Bordelois, Ivonne. "Augusto Roa Bastos. *Hijo de hombre*," *Sur* núm. 268 (1961), pp. 131-133.

Campos, Jorge. "Una novela paraguaya. *Hijo de hombre*." *Insula* núm. 168 (1968), p. 13.

Castillo, Abelardo. "*Hijo de hombre*, novela de A. Roa Bastos." *El Escarabajo de Oro* núm. 2 (1961), p. 33.

Godina, Iverna. "Paraguay en una voz." En su *América en la novela* (Buenos Aires: Cruz del Sur, 1964), pp. 165-170.

Foster, David William. "The Figure of Christ Crucified as a Narrative Symbol in Roa Bastos, *Hijo de hombre*." *Books Abroad* 37 (1963), pp. 16-20.

----------------------. "La importancia de *Hijo de hombre* en la literatura paraguaya." *Duquesne Hispanic Review* 3 (1964), pp. 95-106.

----------------------. *The Myth of Paraguay in the Fiction of Augusto Roa Bastos* (Chapell Hill: University of North Carolina, 1969), capítulos 2 y 3.

Giacoman, Helmy F., ed. *Homenaje a Augusto Roa Bastos, variaciones interpretativas en torno a su obra* (Long Island City, New York: Anaya-Las Américas, 1973). Incluye artículos de David William Foster, Jaime Herzenhorn, Audris Kleinbergs, Urte Lehnherdt, David Maldavsky, Seymour Menton, Clara Passafari de Gutiérrez, Mabel Piccini, Manuel de la Puebla, Hugo Rodríguez-Alcalá, Marco E. Ruiz, y Adriana Valdés e Ignacio Rodríguez.

Gumucio, Mariano Baptista. "La guerra de la sed en la narrativa de Céspedes y Roa Bastos." *Imagen* núm. 51 (1969), pp. 6-7.

Gurza, Esperanza. "Gaspar ha muerto. ¡Viva el Cristo!" *La Palabra y el Hombre* núm. 43 (1967), pp. 499-505.

Lechner, Jan. "Apuntes para el estudio de la prosa de Roa Bastos." *Norte* núm. 2 (1971), pp. 28-34.

Lorenz, Günter W. "Augusto Roa Bastos." En su *Dialog mit Lateinamerika* (Tübingen: Horst Erdman, 1970). *Diálogo con América Latina* (Barcelona: Editorial Pomaire, 1972), pp. 271-310.

Loring, Salvador. "Tan tierra son los hombres. Glosario a un soneto de Augusto Roa Bastos." *Estudios Paraguayos núm. 1 (1974), pp. 177-184.*

Luchting, Wolfang. "Time and Transportation in Hijo de hombre." *Research Studies* 41 (1973), pp. 98-106.

Magnolo, Marta. "Hijo de hombre." *La Diligencia* núm. 14 (1963), pp. 4-9.

Marcos, Juan Manuel. "Augusto Roa Bastos." En su *Nociones de narrativa* (Asunción: Editorial Independencia, 1976), pp. 179-190.

Martínez, Mary. "*Hijo de hombre* por Augusto Roa Bastos." *Estudios* núm. 520 (1960), pp. 821-822.

Montero, Janina. "Realidad y ficción en *Hijo de hombre*." Revista *Iberoamericana* núm. 95 (1976), pp. 267-274.

Roa Bastos, Augusto. *Hijo de hombre* (Buenos Aires: Editorial Losada, 1960).

--------------------. "Imagen y perspectivas de la narrativa latinoamericana actual." En Juan Loveluck, *Novelistas hispanoamericanos de hoy* (Madrid: Taurus Ediciones, 1976), pp. 47-63.

--------------------. "Introducción." En su compilación *Las culturas condenadas* (México: Siglo XXI Editores, 1978), pp. 11-20.

--------------------. "Lucha hasta el alba." En su *Antología personal* (México: Nueva Imagen, 1980), pp. 185-196.

--------------------. "Pasión y expresión de la literatura paraguaya." *Universidad* núm. 44 (1960), pp. 157-176.

Robles, Humberto E. "El círculo y la cruz en *Hijo de hombre*." *Nueva narrativa hispanoamericana* 4 (1974), pp. 193-219.

Rodríguez-Alcalá, Hugo. "A. Roa Bastos y el bilingüismo paraguayo." *Cuadernos Americanos* 25 (1976), pp. 198-207.

----------------------. "Augusto Roa Bastos y *El trueno entre las hojas*." *Revista Iberoamericana* núm. 39 (1955), pp. 19-45.

------------------------. *Narrativa hispanoamericana* (Madrid: Editorial Gredos, 1973). Cf. pp. 63-81.

------------------------. "Verdad oficial y verdad verdadera: 'Borrador de un informe' de Augusto Roa Bastos." *Cuadernos Americanos* núm. 156 (1968), pp. 251-267. "Official truth and True truth: Augusto Roa Bastos" 'Borrador de un informe.' *Studies in Short Fiction* 8 (1971), pp. 141-154.

Rodríguez Garavito, Agustín. "El mundo del libro: *Hijo de hombre.*" *Boletín Cultural y Bibliografía* 4 (1961), pp. 293-299.

Sommers, Joseph. "Un juicio sobre *Hijo de hombre.*" *Alcor* núm. 33 (1964), 4a.

Storni, Eduard Raúl. "Hijo de hombre por *Augusto Roa Bastos.*" *Universidad* núm. 45 (1960), pp. 356-357.

Teixeira de Oliveira Zokner, Cecilia. "A palavra tierre e o vocabulario socio-hierárquico en *Hijo de hombre*: relaçoes." *Letras* 23 (1975), pp. 71-80.

-------------------------------------. "Céspedes e Roa Bastos, duas visoes da Guerra do Chaco: unidade." *Letras* 21-22 (1973-74), pp. 89-96.

Trevisan, Lilí Olga. "Literatura de una tierra joyosa; su novelística: Augusto Roa Bastos." *Revista de Literaturas Modernas* 6 (1967), pp. 79-107.

ESTRATEGIA TEXTUAL DE
YO EL SUPREMO

Algunos críticos han saludado la aparición de la segunda novela de Augusto Roa Bastos, *Yo el Supremo* (1974) como, sin duda, una de las manifestaciones más audaces del llamado *Neobarroquismo* de la narrativa latinoamericana actual. La complejísima estructura de esta obra permite, en efecto, el despliegue de múltiples niveles de lectura, y exige del lector cierta familiarización previa con las técnicas más modernas del discurso épico. Y pide, acaso al crítico, al profesor, su colaboración hermenéutica, con el fin de que el público, como deseaba Alejo Carpentier, deponga sus temores frente al "barroquismo en el estilo, en la visión de los contextos, en la visión de la figura humana enlazada por las enredaderas del verbo". (1) La aventura de sumergirse en las páginas de esta vasta novela puede constituir una fuente del más intenso placer intelectual; sus dificultades estructurales deben observarse más bien como un apasionante desafío; en palabras de Jean L. Andreu: "Superar estas dificultades transitorias y epifenoménicas de la lectura para alcanzar la coherencia y significancia final de la obra, constituye, a nuestro parecer, la mayor seducción del texto." (2)

Lo primero que notamos, al abrir cualquier edición de *Yo el Supremo*, es que carece de un índice, que sus partes no están numeradas. En *Hijo de hombre*, por ejemplo, hay un índice al final del libro, que nos indica un orden fijo, inmutable, en que deben leerse los nueve capítulos de que consta la novela. Si leemos primero el octavo capítulo, "Misión", y después el cuarto, "Exodo", incurriremos en una violación de las reglas de juego de esta novela, que nos exigen que leamos primero el primer capítulo, después el segundo, y así sucesivamente. *Yo el Supremo*, en cambio, no tiene capítulos, sino unos fragmentos separados unos de otros por simples espacios en blanco, que denominaremos *secuencias*. Estas secuencias se encuentran dispuestas conforme a una estructura abierta, como gran parte de las novelas experimentalistas (*Rayuela* de Julio Cortázar, por ejemplo). Eso significa que no importa el orden que se siga. Podemos empezar el libro por la mitad, seguir por el final, y terminar por el comienzo; o como nos dé la gana. La obra no pierde efectividad por permitirle esta libertad al lector, puesto que se ha construido y armonizado convenientemente para resistirla, con el objeto de que aquél pueda sentir que participa de manera más activa y creadora (co-creadora) en la lectura. No se trata de un capricho de Roa Bastos sino de un rasgo muy extendido entre los poemas, el teatro y las narraciones experimentalistas. Los fragmentos de "Nos han dado la tierra" o "Luvina" de Juan Rulfo, por ejemplo, pueden ser intercambiados libremente sin que los cuentos se conviertan en una absurda maraña.

Yo el Supremo está inspirada en un personaje importantísimo de la historia paraguaya: el doctor José Gaspar de Francia, principal dirigente de la Revolución de Independencia, de 1811, que fue elegido Dictador Perpetuo de la República, y como tal gobernó el país hasta su muerte, en 1840. En la novela no se menciona ninguna vez el nombre del doctor Francia; se le llama siempre El Supremo. Por otra parte, no se trata de una novela histórica, ni de una biografía novelada. Es una obra completamente imaginaria; aunque aparecen en ella numerosos personajes y hechos de carácter histórico, el autor no se ajusta a ninguna clase de fidelidad historiográfica, ni intenta demostrar que el gobierno del doctor Francia fue bueno o malo; puede decirse, más bien, que fue escrita a partir de una actitud crítica, a veces humorística, contra las versiones oficiales u oficiosas que circulan sobre el personaje histórico en los medios académicos, doctorales y eruditos. (3)

Para empezar a comprender la estructura secuencial de *Yo el Supremo* tenemos que considerar que, básicamente, la novela consiste en un largo y complejo *monólogo*, es decir, el "habla", el soliloquio de "alguien"; ese alguien pertenece a la ficción. La novela no es un monólogo del autor. En el narrador de ficción, o "interno", que monologa en *Yo el Supremo*, advertimos algo misterioso, una especie de anonimato plural, como si hablara un coro. El narrador interno de *Yo el Supremo* parece que lo sabe, lo escucha y lo ve todo, hasta el futuro; sin embargo, resulta evidente que no estamos frente al tipo de narrador omnisciente de la novela tradicional. Lo que ocurre es que Roa Bastos ha dado un paso originalísimo en la construcción de dicho monólogo, aunque no haya sido el primero en darlo dentro de la narrativa latinoamericana contemporánea. El que monologa es, por supuesto, el Supremo, pero no el Supremo vivo, sino el Supremo *muerto*. Roa Bastos se ha imaginado instalado en la conciencia del doctor Francia después de muerto, para, desde allí, contar su historia. Como para los muertos el curso del tiempo no existe, sino que están en la eternidad, resulta paradójicamente "natural" que este Supremo de ficción lo vea y lo sepa todo, el pensamiento de los demás, el futuro y el pasado, y que en la novela quede abolida la sucesión cronológica y así la podamos leer en cualquier orden.

Pero la novela no consiste solamente en un monólogo indefinido, circular, monotonal. Leer más de cuatrocientas páginas de un discurso de esas características sería bastante aburrido. Por eso, el autor emplea varios recursos para introducir en los monólogos del Supremo una intensa animación, un interés apasionante. El gran truco que permite los demás es, como ya dije, hacer hablar al Supremo después de muerto; esta no es una invención de

Roa Bastos: Susana San Juan, por ejemplo, también habla desde la tumba en la novela *Pedro Páramo* (1955) de Juan Rulfo. La novedad introducida por el paraguayo radica en que toda la novela es ahora concebida como un monólogo póstumo del protagonista. Es un monólogo "supremo". De este recurso nacen otros muchos: por ejemplo, el Supremo, aunque está muerto, simula que dicta a su secretario, Policarpo Patiño, gran parte de la novela; esto también es una ocurrencia del autor: el Supremo, ya que es "dictador", "dicta"... A veces no simula que dicta, sino que escribe él mismo en su "Cuaderno Privado"; o que dialoga con otra gente; o que nos cuenta acontecimientos históricos de su época, o de antes o después, y los comenta con fina ironía, a veces con cruel mordacidad; y que compone una "Circular Perpetua", repleta de órdenes, consejos y principios que sus subordinados deben cumplir (otro chiste: la novela es, en realidad, de una estructura "perpetuamente circular", una "circular perpetua"); el Supremo también finge que no habla él sino otro, por ejemplo una "voz tutorial". El tono de los monólogos sufre cambios no menos intensos: a veces es tranquilo, reposado, solemne; otras, completamente alucinante, como si el Supremo padeciera un delirio.

Roa Bastos, como autor dentro de la ficción, también presenta varios recursos. El principal de ellos consiste en afirmar que él no es el autor de la novela, sino el "compilador" (recolector de datos, libros, documentos producidos por otros). En la novela aparecen numerosas "notas del compilador", como si el propio autor apuntara al margen algún comentario sobre lo que se desarrolla en el cuerpo principal del texto; pero Roa Bastos se mete con ellas dentro de la ficción, entra en la novela como disfrazado de compilador; no habla "en serio" sino como un personaje más de la ficción. Del mismo modo, se ha permitido incluir "notas" de otros autores, algunos de la vida real, historiadores famosos, otros, imaginarios; pero esto también es fabulación: el escritor no pretende burlarse de ellos sino aprovechar la autonomía que sus textos han ganado, una vez publicados, para ponerlos al servicio de la ficción. Por otra parte, el chiste más audaz consiste, desde luego, en sugerir que ha "compilado" nada menos que lo que el Supremo piensa en su tumba. Roa Bastos hace bromas, nunca obscenas ni de mal gusto, a los historiadores, a otros escritores y, muchas veces, sobre sí mismo. Hay otros trucos: súbitamente, aparece una "letra desconocida" en el "Cuaderno Privado", en la "Circular Perpetua"; y hasta el mismo Supremo apunta en dos ocasiones unas notas marginales.

De acuerdo con el tono predominante de cada secuencia, la novela permite cierto reagrupamiento de sus partes. Lo emprendemos como un camino tan válido como cualquier otro para una lectura de *Yo el Supremo*. Aunque cada lector debe adquirir la habilidad de navegar solo por sus páginas, le ofrezco aquí una hipotética brújula para internarse en estos grupos de secuencias que recorren la proteica geografía de la novela como fascinantes ríos subterráneos:

Monólogos de tono normal del Supremo. (4) En ellos, el Supremo parece recordar, sin perder del todo la calma, algunos acontecimientos, lecturas, conversaciones, entrevistas personales, anécdotas domésticas de su vida. Este es el grupo de secuencias más heterogéneo. Casi no tienen en común más que el tono. Algunas de ellas son divertidísimas, como la de una serie de ingeniosos juegos de palabras con que el Supremo increpa al ávido diplomático brasileño Manoel Correia da Cámara. En esta secuencia (pp. 253-256), el Supremo y don Manoel asisten a una representación teatral. Aparece en escena una joven y voluptuosa actriz paraguaya, que representa a Gasparina, una mujer con gorro frigio, símbolo de la República. El brasileño confiesa al Supremo su admiración por la muchacha, y comete la desfachatez de pedirle al dictador que ella vaya a sus aposentos después de la función. El Supremo le responde:

> Vea, mi estimado telépato correia, usted comprenderá que no puedo prostituir a la República arrimándola a su cámara. No, da Cámara, esta Correia no es para su cuero.

¿Puedo yo pedirle a usted que traiga al imperio y lo meta en mi cama? Francamente no. Lo menos que se puede decir sobre eso, seor consuleiro, es que no está bien, ¿no? ¡Nada beim! Os amores na mente / As flores no chao ¿eh no? ¡Certissimamente tein razón, Excelencia! Bien entonces mañana seguiremos conversando en la Casa de Gobierno, que agora la función se ha terminado. Veo entrar al ministro Benítez con el sombrero de plumas del enviado imperial. ¿No sabe usted, bribón, que no debe aceptar regalos de nadie? ¡Devuelva inmediatamente ese adefesio con el que se le ha pretendido sobornar! Por este despropósito le impongo un mes de arresto.

Monólogos delirantes del Supremo. (5) En estas secuencias el tono del monólogo adquiere una efervescencia alucinante. A primera vista, Roa Bastos se apoya para construirlos en la técnica surrealista de escritura automática.

La Circular Perpetua. (6) Estas secuencias consisten en la Circular "Perpetua" que el "Perpetuo" Dictador "dicta" a Patiño, dirigida "a los Delegados, Comandantes de Guarnición y de Urbanos, Jueces Comisionados, Administradores, Mayordomos, Receptores Fiscales, Alcabaleros y demás autoridades". En ella, el Supremo les refiere su propia interpretación de algunos temas históricos, les recomienda una serie de normas morales, les explica los principios que rigen la Independencia y la constitución del Estado que debe defenderla a toda costa, les ordena tramitar un censo de población y una rendición de cuentas, y se defiende de sus calumniadores presentes y futuros en términos como estos:

¿De qué me acusan esos anónimos papelarios? ¿De haber dado a este pueblo una Patria libre, independiente, soberana? Lo que es más importante ¿de haberle dado el sentimiento de Patria? ¿De haberla defendido desde su nacimiento contra los enemigos de dentro y de fuera? ¿De esto me acusan?

Les quema la sangre que haya asentado, de una vez para siempre, la causa de nuestra regeneración política en el sistema de la voluntad general. Les quema la sangre que haya restaurado el poder del Común en la ciudad, en las villas, en los pueblos; que haya continuado aquel movimiento, el primero verdaderamente revolucionario que estalló en estos Continentes, antes aún que en la inmensa patria de Washington, de Franklin, de Jefferson; inclusive antes que la Revolución Francesa...

Después vendrán los que escribirán pasquines más voluminosos. Los llamarán Libros de Historia... Profetas del pasado, contarán en ellos sus inventadas patrañas, la historia de lo que no ha pasado (pp. 37-38).

Letra desconocida en la Circular Perpetua. (6ª) Estas breves secuencias interrumpen súbitamente el texto de la Circular Perpetua, con graves y crípticas sentencias que echan en cara al Supremo sus imperfecciones; se supone que, mientras el Supremo dicta su Circular, una mano desconocida y mágica escribe al margen del texto que garabatea Patiño. En realidad, todo no es más que producto de la imaginación póstuma del propio Supremo, por lo que esta "letra desconocida" puede interpretarse como la parte censora, autocrítica de su conciencia.

El Cuaderno Privado. (7) Según una "nota del compilador", el Cuaderno Privado es "un libro de comercio de tamaño descomunal, de los que usó el Supremo desde el comienzo de su gobierno para asentar de puño y letra, hasta el último real, las cuentas de tesorería." En los últimos años de su vida —añade el "compilador"— el Supremo había asentado en dicho libro "inconexamente, incoherentemente, hechos, ideas, reflexiones menudas, y casi maniáticas observaciones sobre los más distintos temas y asuntos." He aquí una de las más significativas de estas supuestas anotaciones:

Núcleo, el Paraguay, de una vasta Confederación, es lo que desde un primer momento pensé y propuse a los imbéciles porteños, a los imbéciles orientales, a los imbéciles brasileros. Lo que no solamente es malo sino muy malo, estriba en que estos miserables conviertan en materia de intrigas un proyecto de naturaleza tan franca y benéfica como es el de una Confederación Americana, formada en figura y semejanza de sus propios intereses y no bajo la presión de amos extranjeros (p. 38).

Letra desconocida en el Cuaderno Privado (p. 45). Son sólo seis palabras, que interrumpen en el mismo tono censor de la letra desconocida de la Circular, los primeros párrafos de la Circular Perpetua. El Supremo se encuentra en ellos hablando de Napoleón Bonaparte, al que acusa de "haber traicionado la causa revolucionaria de su país", cuando una letra ajena en el Cuaderno Privado apunta: "¿Qué otra cosa has hecho tú?" El "compilador" advierte que el resto del párrafo está quemado o ilegible. "El incendio originado en sus habitaciones (las del Supremo), unos días antes de su muerte, destruyó en gran parte el Libro de Comercio (o sea, el Cuaderno Privado), junto con otros legajos y papeles que él acostumbraba guardar en las arcas bajo siete llaves" (p. 23).

Diálogos con Patiño. (7ª) En estas secuencias, el Supremo simula dialogar sobre los temas más diversos con su secretario y escribiente, Policarpo Patiño, a quien llega a comparar con Sancho Panza:

> Cervantes, manco, escribe su gran novela con la mano que le falta. ¿Quién podría afirmar que el Flaco Caballero del Verde Gabán sea menos real que el autor mismo? ¿Quién podría negar que el gordo escudero-secretario sea menos real que tú; montado en su mula a la zaga del rocín de su amo, más real que tú montado en la palangana embridando malamente la pluma? (p. 74).

Una de las más emocionantes secuencias de este grupo es aquella en la que Roa Bastos, acaso recordando sus propios temores infantiles, pone en labios de la niñez escolar de la época (incluido Francisco Solano López, que tenía trece años en 1840), una imagen tierna y onírica del protagonista (p. 432-434). Ningún paraguayo podría leerla sin sentir un estremecimiento.

Diálogos con terceros (que no son Patiño). (8) En estas secuencias desfilan personajes como el tamborero Efigenio Cristaldo, el general Manuel Belgrano, el científico Amadeo Bonpland, el traficante Juan Robertson, el eclesiástico Céspedes Xeria, y hasta Sultán, el perro del Supremo, dotado prodigiosamente de cáustica locuacidad. También estos supuestos diálogos fluyen como producto de la imaginación póstuma del protagonista.

La voz tutorial. (9) Otro desdoblamiento que sufre el monólogo del Supremo, en este caso para encarnar la voz de su padre. Don Engracia se aparece a su hijo en medio de una pesadilla (como el padre de Hamlet al suyo), y le narra cómo participó en una expedición al río Igatimí, desafiando a "los salvajes indios mbayás, azuzados por los bandeiros", por orden del gobernador Pinedo, en 1777.

El Cuaderno de Bitácora, de las páginas 293-297, es una de las secuencias más importantes de *Yo el Supremo*, puesto que de ella se desprende gran parte de la significación global del complejo punto de vista adoptado en la novela. En esta secuencia quedan simbolizados los dos "narradores internos" principales del relato: la conciencia póstuma del Supremo, y el "compilador" (es decir, el propio Roa Bastos transfigurado en personaje de la ficción). La bitácora es un armario instalado junto al timón de un barco, en el que se pone la brújula; el "cuaderno de bitácora" es, pues, un cuaderno de navegación. En esta secuencia, el Supremo describe su viaje en una sumaca (pequeña embarcación plana, de dos palos, típicamente hispanoamericana) por el río de la muerte, "atravesando un campo de victorias-regias." El mito del río de la muerte se encuentra entrañablemente vinculado a la tradición grecolatina; y la imagen de la vida como "río que va a dar a la mar, que es el morir" pertenece íntimamente a la simbolización literaria hispánica desde Jorge Manrique. Así pues, casi toda la novela consiste en un "cuaderno de bitácora" que compone el Supremo mientras navega por la eternidad. En esta secuencia el autor parece anunciarnos que debemos considerar, esencialmente, a la novela como un monólogo póstumo del Supremo. Y, además, nos sugiere que él mismo, como autor ficcionalizado, participa, a veces, en el discurso narrativo; que el "compilador" es un personaje más, un destacado "narrador interno" de la obra, un Roa Bastos imaginario tejido con los recuerdos, las pesadillas, las utopías, la subconsciencia del escritor real. Se trata de un párrafo un poco denso, que vamos a leer detenidamente:

En este momento que escribo puedo decir: Una infinita
duración ha precedido mi nacimiento. YO siempre he sido
YO; es decir, cuantos dijeron YO durante ese tiempo, no
eran otros que YO-EL, juntos. Pero a qué a-copiar tantas
zonceras que ya están dichas y redichas por otros zonzos
a-copiadores. En aquel momento, en este momento en que
voy sentado sobre el sólido hedor, no pienso en tales
barrumbadas. Soy un muchacho de catorce años. Por momentos leo. Escribo por momentos, escondido a proa entre
los tercios de yerba y la corambre nauseabunda (p. 297).

¿Quién es el que habla? ¿Qué realidades designan los
pronombres YO y EL, escritos con mayúsculas? A simple
vista, la primera respuesta es fácil: el que habla sigue
siendo el Supremo, que ahora recuerda, mediante el olor
de la yerba y los cueros (para el impresionismo y sus
herederos todas las sensaciones son dignas, hasta los
olores nauseabundos), el viaje que hizo a los catorce años
por el río Paraná hasta Santa Fe, acompañando a su
padre, que por entonces comerciaba con los productos de
exportación y ya había decidido enviarlo a la Universidad
de Córdoba. Pero, por otra parte, el propio Roa Bastos de
la vida real, alrededor de sus catorce años, acaso rodeado
de yerba y cueros en el establecimiento donde trabajaba
su padre en el interior del país, había empezado a componer su primer cuento, "Lucha hasta el alba" que, según
sus explícitas declaraciones de adulto, puede conside-
rarse como el primer borrador, inconsciente, de *Yo el
Supremo*. Por lo tanto, ¿no es el propio autor, ficcionalizado como "compilador", quien escamotea la voz del
Supremo y la reemplaza por la suya propia? Y así, consciente o subconscientemente, ¿no nos sugiere que debemos aprender a distinguir, junto al monólogo póstumo del
Supremo, la voz, las "notas", los ardides del "compilador"? Como a Proust, ¿no le habrá recordado a Roa
Bastos una infusión —un mate, no un té— una importan-
tísima vivencia de su temprano pasado: nada menos que
su "Lucha hasta el alba", el cuento-madre de su niñez?
Pasemos a la segunda respuesta. Uno de los rasgos del
experimentalismo consiste en simbolizar una meditación
sobre el lenguaje desde el lenguaje mismo. Rulfo rein-

venta el castellano mexicano; Cortázar, el argentino, etc. En *Yo el Supremo*, Roa Bastos jerarquiza el castellano paraguayo y, además, estudia algunos principios de filosofía del lenguaje, sin abandonar el plano de la ficción. Simultáneamente, aplica esta meditación al universo mítico de su novela. Para este autor, como enseña la lingüística moderna, el único lenguaje vivo es el habla; es decir, la expresión social individual del idioma. Como buen heredero del impresionismo, se siente fascinado por lo *actual*, por lo puramente presente, por la sensación, lo palpitante; y el único momento actual del lenguaje es el habla: cuando éste se convierte en escritura, *muere*, deja de latir, de estar vivo, de ser actual, queda petrificado, inerte. El experimentalismo trata desesperadamente de resucitar el lenguaje, de animarlo con una estructura circular, con trucos de toda clase, pero sabe, en el fondo, que, como escritura, está irremediablemente condenado. Por eso, en *Yo el Supremo*, que es escritura al fin de cuentas, el único habla posible es el de un muerto. Y, por eso, Roa Bastos siente, íntima y sinceramente que, como aspiración a un lenguaje vivo, la literatura escrita se halla fatalmente sometida al fracaso. Los simbolistas querían alcanzar la belleza absoluta, pero como no podían, se sentían nostálgicos, y empleaban entonces la técnica impresionista, que desdibujaba la realidad (la mediocridad de lo cotidiano), para así acercarse al Ideal que soñaban. Los experimentalistas son, en parte, herederos de los simbolistas. Quieren escribir un lenguaje vivo (el lenguaje *supremo*, preeminente, el grado superior de la expresión), pero como saben que no pueden, se sienten humildes, empequeñecidos, una parte diminuta e insignificante del gran habla de los pueblos; emplean entonces una construcción abierta, una técnica que desestructura el punto de vista para, así por lo menos, aproximarse a la vitalidad que tiene el lenguaje oral, a la pluralidad de voces de los pueblos; una técnica que desarticula el espacio y el tiempo para ver si de este modo pueden acercarse al carácter actual del habla: abolido el tiempo, al menos en la ficción, la escritura parece suprimir el pasado y el futuro e instalarse en el eterno presente del habla, del lenguaje vivo. Por eso, cuando Roa Bastos dice que él no es más que un "compilador" de la novela, bueno, hace un chiste, pero, en todo caso, es una ocurrencia grave: significa que, para los experimentalistas, el escritor es un artista muy humilde, más bien un artesano (los escritores que se creen creadores absolutos son unos pobres "zonzos"), ni siquiera un acopiador (recolector de textos ajenos, intérprete de las voces colectivas del habla), sino un a-copiador, es decir, un vulgar imitador del lenguaje oral y, además, un mal imitador que casi no sabe copiar, que en realidad no copia (claro, puesto que le resulta imposible trasladar a la escritura la vitalidad del lenguaje oral).

Vayamos a los pronombres usados en este párrafo, YO y EL, que Roa Bastos escribe sistemáticamente con mayúsculas para llamarnos la atención sobre los mismos. *Yo el Supremo* es una novela compleja, pero sólo lo imprescindible para proponer las reglas de juego experimentalistas, que responden a nuestra sensibilidad actual. Por lo tanto, casi siempre emplea el pronombre YO para referirse al recuerdo que tiene el Supremo de su conciencia temporal, cuando era un personaje histórico (el doctor Francia), sujeto a las leyes de la temporalidad; y el pronombre EL para referirse al mito del Supremo, o sea, la imagen mitológica, idolatrada o repudiada que queda del doctor Francia en tantas leyendas, libros de historia, biografías, documentos verdaderos o apócrifos, y tradiciones orales (como la que escuchaba Miguel Vera, de niño, en *Hijo de hombre*, de labios del viejo Macario). Para EL, que es un mito, no existe el tiempo; para YO, sí, aunque sólo simuladamente, dentro del monólogo póstumo del protagonista. YO encarna el tiempo; EL, la eternidad. Pero como sólo podemos hablar en el tiempo, el YO simboliza la condición inevitable del habla. Pero, como los hablantes son mortales, mas el habla es eterna, EL simboliza esta eternidad. La aspiración máxima e inútil de los experimentalistas es alcanzar a escribir un lenguaje que sea, al mismo tiempo, temporal y eterno, lo que resulta un absurdo, pero ese absurdo es el ideal del Experimentalismo: la síntesis imposible de YO y EL es **LO SUPREMO**.

Ahora ya podemos entender fácilmente los tres enunciados claves de este párrafo. "Una infinita duración ha precedido mi nacimiento", significa que el Supremo es consciente de que la duración del habla es infinita, que el habla, aunque hablada por mortales, es eterna. "YO siempre he sido YO", significa que el Supremo es consciente de que YO (la conciencia temporal de cualquier hablante, por ejemplo, él mismo como personaje histórico) hereda un legado de eternidad: el coro de los demás, la pluralidad de voces de los pueblos, el YO-muchedumbre que hace posible la eternidad del habla. "Cuantos dijeron YO durante ese tiempo, no eran otros más que YO-EL, juntos," significa que el Supremo es consciente de que todos los hablantes que hablaron antes de su nacimiento y que ya pertenecen al pasado le parecen ahora el símbolo del lenguaje ideal: son YO (tiempo), puesto que eran mortales; simultáneamente, son EL (eternidad), puesto que al estar en el pasado, ya no están en el tiempo. Lo que resulta verosímil, puesto que el Supremo los observa también, póstumamente, desde la eternidad. ¿Florece siempre cierta nostalgia de Dios, en la obra de Roa Bastos? En su época vanguardista, de *Hijo de hombre*, él quería llegar a amar tanto a sus semejantes, empezando por los más desvalidos y sufrientes, como Cristo (el Dios-Hombre) los amó, hasta morir en la Cruz por la humanidad. Ahora, en pleno experimentalismo, quisiera escribir un lenguaje tan vivo y, a la vez, eterno, el verbo-Dios que, sin perder su eternidad celestial, se desdobla en tiempo (Cristo y su Iglesia como cuerpo místico), y permanece entre los hombres.

Comentarios históricos del Supremo. (10) En estas secuencias el Supremo no finge que dialoga con alguien —no como tema predominante al menos—, ni adopta una tensión exasperada como en otras. En éstas gravita con fuerza determinante el tema histórico: el marqués de Guarany, Belgrano, los Robertson, Voltaire, Echeverría, la segunda fundación de Buenos Aires por los asuncinos, Juan de Garay, Ana Díaz, Fulgencio Yegros, Pedro Juan Cavallero, las batallas de Paraguary y Takuary, Mariano Moreno, el obispo Panés, las celebraciones de época del día de los Reyes Magos (cumpleaños del Supremo), Correia da Cámara, Juan García de Cossío, Nicolás de Herrera, Manuel Godoy, el gobernador Lázaro de Ribera, Simón Bolívar, Amadeo Bonpland, Alejandro de Macedonia, Napoleón, los Siete Sabios de Grecia, el deán Gregorio Funes, Alvear, Artigas, Facundo Quiroga, San Martín, la entrevista de Guayaquil, José León Ramírez... desfilan por sus páginas.

Notas del compilador. (11) Notas introducidas por el "compilador" al margen del texto principal (el monólogo del Supremo), que se refieren a temas históricos, literarios, filosóficos, lingüísticos, biográficos, antropológicos... Pertenecen también al texto literario, al cuerpo de la novela. Insisto en que el "compilador" no representa al autor de la vida real, sino que nace de un desdoblamiento del mismo como un personaje más de la ficción.

Notas de otros autores. (12) El "compilador" introduce, además de las suyas, las notas de "otros autores", algunos ficticios, otros extraídos de la vida real, como los historiadores Wisner de Morgenstern, J. A. Vázquez, Rengger y Longchamp, Robertson, Julio César (Chaves), Justo Pastor Benítez, Thomas Carlyle, Mariano Antonio Molas, Manuel Pedro de la Peña y, en el Apéndice, mezcladas con las del "compilador", las de Benigno Riquelme García, Jesús Blanco Sánchez, Manuel Peña Villamil, R. Antonio Ramos, Marco Antonio Laconich.

Notas del Supremo, de las páginas 114 y 144. Dos breves notas que se refieren, la primera, a la Circular Perpetua, y la segunda a un monólogo en que el Supremo sostiene una chispeante conversación imaginaria con Héroe, el perro del ex-gobernador Velasco y los dos hermanos ingleses (en realidad, escoceses) Robertson.

Documentos, de las páginas 7 y 321. Imitaciones de dos documentos paleográficos, un pasquín anónimo contra el Supremo, y un autógrafo de Pueyrredón. ¿Por qué emplea Roa Bastos este recurso tipográfico? Pues, para sorprender, como Juan Ramón Jiménez empleaba la jota en la palabra nostalgia, por ejemplo. Un truco de origen vanguardista, aquí puesto al servicio del universo experimentalista de esta novela.

Examinemos, ahora, algunos rasgos míticos de *Yo el Supremo*. Como dije, el fundamento de la literatura experimentalista es su ansiedad por acercarse lo más posible, en el lenguaje escrito, a la vitalidad del lenguaje oral. Esta ansiedad se manifiesta, en el orden técnico, a través de la disposición abierta del discurso; en palabras de Octavio Paz, de unos "signos en rotación." Ya hemos comprobado, en ese sentido, la dinámica interna de la estructura secuencial de esta obra. Respecto a los temas, los personajes, las situaciones, la ansiedad experimentalista se expresa a través de la traslación al papel, de la manera más aproximada posible, del carácter colectivo, mágico y ritual que tiene el mito en el seno de una comunidad cultural determinada; el mito, como representación no lógica, sino sobrenatural, que tenemos de la realidad. Ya sabemos que esta novela está basada, no tanto en el personaje histórico del doctor Francia, como en el mito que le ha sobrevivido. Y es que los mitos no se transmiten y perduran a través de los libros de historia, los documentos, ni clase alguna de escritura, sino a través del lenguaje oral, de voz en voz, de generación en generación. Por eso, el género más apto para recoger un mito por escrito no son los tratados biográficos ni las crónicas históricas, sino el cantar de gesta, la epopeya, el cuento, la novela, el teatro, el cine, que, por su propia naturaleza imaginativa, consiguen ofrecer una imagen menos realista y lógica del mundo. ¿Qué "novela de caballería" moderna más cabal que la zaga cinematográfica de James Bond, por ejemplo? Cuando un relato o un poema describen un personaje mítico, éste gana de inmediato un carácter simbólico totalizador, que impregna con su fuerza poética toda la significación de la obra. Eso no ocurría en la novela tradicional, al menos con ese carácter global: don Quijote "podía" simbolizar el altruismo humano, pero sin duda era un retrato lógico de un hidalgo castellano del siglo XVI; María "podía" simbolizar el amor imposible de los románticos, pero sin duda era un retrato lógico de una tímida muchacha colombiana del siglo XIX; doña Ángela —la protagonista de la novela *La Babosa* (1952), del paraguayo Gabriel Casaccia (1907-1980)— "podía" simbolizar la hipocresía social que tanto censuraban los realistas, pero sin duda era un retrato lógico de una chismosa aregüeña de comienzos de siglo... En cambio, el Mago de "Las ruinas circulares", de Jorge Luis Borges, el Pedro Páramo de Rulfo, el Supremo de Roa Bastos, etc., no pueden ser otra cosa que símbolos míticos; resultaría absurdo buscar una explicación racionalista, verosímil, realista de su naturaleza, su conducta, sus facultades. Y este hecho condiciona toda la visión del mundo que nos sugiere cada obra: los cuentos y las novelas experimentalistas se despliegan como un universo mítico, con cierta coherencia interna y unas leyes más o menos rigurosas, pero no sujetas a la lógica tradicional, sino a una representación sobrenatural, mágica, maravillosa de la realidad. (13) En otras palabras, conforme a una tendencia narrativa que algunos críticos han denominado "realismo mágico". Sólo simulando que creemos en la magia podemos aceptar que el Mago sueñe a un hombre y lo instale en la realidad, que Pedro Páramo ya esté muerto pero su voz continúe tiranizando Comala, que el Supremo hable desde la muerte pero a la vez siga vivo. El Supremo simboliza la voluntad colectiva de sobrevivir, con sus luces y sus sombras, de la nación paraguaya, y, acaso, muchas otras cosas, pero no podemos interpretarlo de ninguna manera como un personaje, a la vez real, verosímil, tangible, extraído de la biografía del doctor Francia. Es un personaje única y exclusivamente mítico.

La cantidad de mitos que desfilan por *Yo el Supremo* es impresionante. Su estudio detallado insumiría por sí solo el robusto volumen de una tesis doctoral, y largas horas de investigaciones antropológicas, históricas, paleográficas, folklóricas, sociolingüísticas, literarias, musicales, sociológicas, filosóficas, de ciencias políticas, de religiosidad popular, de semántica de la imagen, de psicología, de gramática estructural, de estilística, etc. Eso no significa, por supuesto, que Roa Bastos sea un experto en todos esos campos; nadie puede llegar a serlo. Pero a sus cincuenta años de edad, cuando empezó a componer *Yo el Supremo*, poseía una riquísima cultura y un conocimiento bastante profundo de la parte de esas especialidades que le interesaba para su novela. Cuando revisamos la estructura secuencial, he mencionado varios de esos mitos. Pero lo importante es aprender a manejar e interpretar al menos el mito del Supremo, como substrato estructural de la visión del mundo que sugiere la novela. Puesto que dicho mito es doble —YO: la conciencia temporal del Supremo; y, EL: el mito que sobrevive al doctor Francia—, creemos que gran parte de su significación se apoya en un mito universal: el de los mellizos. Para los que gustan de lo anecdótico, recuerdo que el signo zodiacal de Roa Bastos —nacido un 13 de junio— es Géminis, el símbolo de los mellizos. "Desde los libros antiguos, incluido el Génesis, sabemos que el hombre primitivo ha sido en el origen varón/hembra ... Los viejos de las tribus también saben aquí, sin haber leído el Symposio de Platón, que cada uno era originalmente dual" (*Yo el Supremo*, p. 143). Como se ve, esta hipótesis del Supremo se complementa con la del ideal experimentalista de la escritura viva, que expliqué más arriba. Más allá del texto "varón" de la tradición racionalista, cerrado y claro, y del texto "hembra" de todos los barroquismos, abierto y oscuro, el experimentalismo aspira —aunque sin esperanzas— al texto "dual", hermético y supraceleste como la "lengua", a la vez que dinámico y terrenal como el "habla", con el fin de capturar la inasible y absurda Actualidad Absoluta de la escritura. Lanzando el último grito del antirracionalismo, los experimentalistas protestan —como Luis de Góngora en el siglo XVII— contra la sociedad y el tiempo que les ha tocado vivir. (14)

Yo el Supremo constituye, por otra parte, un magistral mosaico de los caminos renovadores emprendidos por la narrativa hispanoamericana experimentalista de los años recientes. Entre sus características técnicas más destacadas figuran las siguientes:

Una jerarquización del castellano paraguayo, a través de una inspirada recreación del habla popular, al lado de neologismos, innovaciones morfosintácticas, sutiles arcaísmos y cierto amaneramiento verbal dieciochesco y neobarroco propio del protagonista, y no pocas meditaciones acerca de graves problemas de la lingüística actual.

Un distanciamiento lúdico y crítico ofrecido al lector mediante un variado conjunto de artificios y trucos verbales y de estructura, que confieren intensidad y ficcionalización expresionista al discurso.

Una estructura abierta, que se manifiesta en lo externo por la presencia de secuencias intercambiables, en vez de capítulos fijos; y, en lo interno, por recursos como el monólogo interior sin asociación libre (el discurso póstumo del Supremo), la técnica del punto de vista (que rota del Supremo a una serie indefinida de personajes "hablantes", como Patiño, Robertson, el perro Sultán, Bonpland, Belgrano), las digresiones del autor (a través de las notas del "compilador", y otras), el contrapunto (en las interrupciones de las "letras desconocidas", por ejemplo), el caleidoscopio (la aparente simultaneidad de todos los sucesos en la memoria póstuma del Supremo), el *flashback* (en numerosos recuerdos retrospectivos del protagonista), el laberinto (a causa de la total desarticulación del esquema Espacio/Tiempo), la abolición del desenlace (ya que el lector conoce la fuente histórica del personaje, y las secuencias son, como dije, intercambiables); y, sobre todo, una estructura de carácter circular, que permite formular la hipótesis, expuesta más arriba, de un reagrupamiento posible de secuencias en varios conjuntos que se armonizan como vasos comunicantes.

Una ficcionalización del autor, a través de un desdoblamiento del Roa Bastos de la vida real en un imaginario "compilador" de los textos reunidos en la novela.

Un humorismo, constante en todo el relato, a veces mordaz, a veces trágico, especialmente en el monólogo del Supremo, que contribuye a definir la psicología irónica y punzante del protagonista; por otro lado, constituye una manifestación de una actitud crítica del autor respecto a la imagen del doctor Francia consagrada por la historiografía oficial y académica.

Un individualismo responsable, que señala el paso de una actitud de compromiso y militancia redencionista (presente en *Hijo de hombre*), hacia una conciencia más libre e independiente de programas morales, políticos o ideológicos, aunque siempre atenta a los principios universales de la solidaridad social y la dignidad humana.

Un substrato mítico, cuya importancia radica, entre otras cosas, en la manifestación de cierto neorracionalismo, no exento de cierto neobarroquismo, eclecticismo que trata de hacer una síntesis de los mecanismos lógicos y discursivos propios del pensamiento moderno, y la visión sobrenatural del mundo que conservan los pueblos "primitivos" —es decir, "el pensamiento salvaje", explorado y dignificado por la antropología estructural—.

Un neosurrealismo, que venera la metáfora como fuente de inspiración verbal fundamental, aunque no mediante una escritura automática predominante, sino un universo textual sometido al simbolismo global de la obra (en este caso, el mito del Supremo como ser dual, a la vez temporal y sobrenatural, actual y eterno, social y cósmico, histórico y mágico, etc.).

Y *una actitud provocadora*, que busca siempre sorprender, incitar a la imaginación, estimular el juego intertextual, apelar a la agudeza del lector.

Por último, hay que tener siempre presente que esta novela es, naturalmente, una obra literaria, de ficción. No resultaría sensato ensayar una interpretación ideológica de ella, como si se tratase de un libro de historia, una biografía, un tratado de lingüística o una tesis filosófica. *Yo el Supremo*, en suma, no encierra respuestas de este tipo, y su autor, probablemente, nunca se propuso emitirlas. Lo que sí contiene, como toda auténtica obra de arte, es un conjunto armonioso de preguntas, de sugerencias, de crítica saludable y fresca. Estas cuestiones admiten, por lo menos, tres niveles de lectura: una idea de la nacionalidad paraguaya, una idea de la creación poética y una idea del poder absoluto.

En el primer aspecto, toda la narrativa de Roa Bastos expresa líricamente una definición estética y moral del pueblo y la nación del Paraguay, como una voluntad heroica de sobrevivir a las circunstancias históricas más difíciles, con una actitud generosa y fraternal respecto a la comunidad hemisférica a la que pertenece, y con una conciencia a pesar de todo esperanzada acerca del progreso del país. En el segundo aspecto, esta novela constituye uno de los mejores manifiestos poéticos del experimentalismo hispanoamericano, en el sentido de aspirar a una escritura literaria, o a un texto sin más, que refleje lo más aproximadamente posible la vitalidad y el carácter comunitario de la experiencia verbal. Por último, en el tercer aspecto, sin entrar en polémicas históricas, *Yo el Supremo* describe la soledad y el vértigo del poder absoluto, que en el caso del doctor Francia conoció excesos y omisiones, al mismo tiempo que echó las bases de la soberanía nacional en el marco de una sociedad revolucionaria respecto a las estructuras coloniales de entonces.

NOTAS

(1) Alejo Carpentier, *Tientos y diferencias*; La Habana; Ediciones Unión, 1966, p. 32.

(2) Jean L. Andreu, "Modalidades del relato en *Yo el Supremo* de Augusto Roa Bastos: lo Dicho, el Dictado y el Diktat." En *Seminario sobre Yo el Supremo de Augusto Roa Bastos* (Poitiers: Centre de Recherches Latino-Américaines de l'Université de Poitiers, 1976), p. 65.

(3) "Some will denounce Roa's novel for its denial of political readings, but many too will accept it for the outstanding accomplishment it purports to be: a literary text." David William Foster, *Augusto Roa Bastos* (Boston: Twayne Publishers, 1978), p. 112.

(4) Augusto Roa Bastos, *Yo el Supremo* (Madrid: Siglo XXI Editores, 2ª ed., 1976), pp. 53-62; 77-81; 88-96; 137-153; 158-161; 228-235; 244-247; 253-256; 281-282; 297-298; 306; 308-314; 334-335; 347-352; 411-413; 422-424.

(5) Ibid., pp. 155-158; 162-167; 317-318; 344-346; 403-410; 439-456.

(6) Ibid., pp. 36-41; 42-45; 45-50; 85-87; 104-113; 114-118; 120-121; 168-179; 203-213; 315-317; 318-320; 382-400.

(6ª) Ibid., pp. 106, 109, 111.

(7) Ibid., pp. 22-24; 52-53; 71-72; 98-99; 101-103; 118-120; 122-136; 180-186; 198-199; 213-219; 299-305; 326-328; 367-371; 380; 401-402.

(7ª) Ibid., pp. 7-22; 24-36; 41-42; 50-52; 63-70; 72-76; 96-97; 99-101; 187-197; 279-281; 425-439.

(8) Ibid., pp. 200-202; 275-278; 282-286; 288-290; 331-332; 338-343; 353-366; 414-421.

(9) Ibid., pp. 305-306; 307-308.

(10) Ibid., pp. 82-84; 220-228; 236-244; 248-252; 257-261; 261-268; 268-274; 279; 286-288; 322-326; 336-338; 372-380.

(11) Ibid., pp. 22-23; 34; 125-126; 132; 138-139; 143-144; 153-154; 177; 203-204; 214-218; 232-233; 235; 243; 258-259; 265-266; 267-268; 232-233; 235; 243; 258-259; 265-266; 267-268; 271; 278; 291-292; 294; 303; 308; 323; 326-328; 332-334; 336; 376; 386; 438; 448; 467 (final).

(12) Ibid., pp. 46-47; 48-49; 75-76; 86; 129-131; 146-148; 148-150; 158-160; 175; 178-179; 205; 206-207; 211; 213; 257-258; 262; 263; 271-272; 295-296; 310-313; 322-323; 324-325; 328-331; 340-341; 374; 375-376; 385-386; 387-388; 410; 413-415; 448; 457-465 (Apéndice).

(13) "...el espíritu barroco puede renacer en cualquier momento y renace en muchas creaciones de los arquitectos más modernos de hoy. Porque es *un espíritu* y no un *estilo histórico* (sic)." Alejo Carpentier, *Razón de ser*; (Caracas; Universidad Central de Venezuela; Ediciones del Rectorado, 1976), p. 58. En este mismo texto —una conferencia dictada en el Ateneo de Caracas el 22 de mayo de 1975—, Carpentier añade más adelante: "¿Y por qué es América Latina la tierra de elección del Barroquismo? Porque toda simbiosis, todo mestizaje engendran un barroquismo. El barroquismo americano se acrece con ...la conciencia que cobra el hombre americano... de ser una cosa nueva, de ser una simbiosis, de ser un criollo; y el espíritu criollo, de por sí, es un espíritu barroco" (p. 64).

(14) Cf. la exacta "Introducción" de John Beverley, en su edición de las *Soledades* de Luis de Góngora; Madrid; Ediciones Cátedra, 1979; para una interpretación sociológica del gongorismo, en especial, las pp. 18-27. Lo que Beverley dice de las *Soledades* puede ser aplicado a *Yo el Supremo*, sin cambiar una palabra: "En términos de una metáfora saussuriana, las *Soledades* componen no sólo una lengua (*langue*), como si tuvieran la función de integrar un sistema formal autónomo y autosuficiente, sino también un habla (*parole*), una manera de ser y actuar por medio del lenguaje en el mundo social e ideológico en el que Góngora se halla comprometido" (p. 19).

YO EL SUPREMO

COMO "REPROBACIÓN" DEL DISCURSO HISTÓRICO

En su novela *Yo el Supremo*, Augusto Roa Bastos toma
como pretexto el discurso histórico académico, impuesto
por la cultura dominante en el Paraguay, para elaborar un
nuevo discurso, de naturaleza mítica y revolucionaria.
Tal vez haya sido Jean Franco la primera en señalar que
Yo el Supremo apela a documentos históricos para poner
de relieve la ideología neocolonial que ejerce su hegemonía en América Latina y, quizá, al "carnavalizarlos" —en
términos de Mikhail Bakhtin—, socavar los valores esta-
blecidos mediante una parodia de inspiración popular. (1)
No me cabe duda de que, en efecto, este ha sido uno de
los procedimientos textuales empleados en la novela para
subvertir el discurso "monológico" de los historiadores
paraguayos. Se trata de una operación de "deconstrucción," para usar la palabra con que Jacques Derrida
denomina a un método muy precedente a su propia obra,
que Jonathan Culler ha definido sencillamente como la
demostración de que la lógica de un argumento dado
puede no sólo ser rebatida sino revertida, cuando se basa
en una paradoja o contradicción fundamental. (2) El propio Roa ha explicado su propósito de "deconstruir" —
dice él, con una metáfora más feliz, "reprobar" —la
versión oficial de los hechos históricos:

> los historiadores tratan de probar documentalmente los
> hechos. Los narradores tratamos de reprobar los hechos

míticamente, imaginariamente; es decir, por una parte nos rebelamos, reprobamos, el documento escueto que sólo muestra un fragmento de la verdad o de la realidad, y por otra, nos empeñamos en volver a probar, en re-presentar, la validez significativa de tales hechos, en una dimensión más profunda, nueva e inédita, desde otro ángulo, mediante distintas mediaciones. (3)

La bibliografía crítica sobre *Yo el Supremo* ha crecido mucho en los últimos años. (4) Sin embargo, no parece todavía exhaustivo su estudio como texto "dialógico," es decir, según la excelente definición de Fredric Jameson a propósito de Bakhtin, como "una ruptura del texto unidimensional de la narrativa burguesa, una dispersión carnavalesca del orden hegemónico de la cultura dominante." (5) A veces, Roa Bastos ha echado de menos la perspicacia de la crítica sobre *Hijo de hombre*, "reprobándole" que no ha sabido ver, por ejemplo, la imagen mítica de Rafael Barrett en el viejo de "Exodo," (6) o la anticipación de la teología y la praxis de Medellín, mediante el símbolo del Cristo "rebelde" de su primer capítulo. (7) Esperemos que *Yo el Supremo* tenga más suerte. En realidad, no siempre hay que destacar una presencia, sino una omisión. En esta novela desfila una serie casi innumerable de personajes históricos. (8) Sin embargo, no aparece Sarmiento. ¿Alguien con más derecho a figurar como objeto de las diatribas proféticas del Supremo que ese general argentino quien, en palabras del propio narrador

fue a morir apaciblemente en Asunción, olvidado ya de que, al final de la guerra de la Triple Alianza (que concluyó cuando él era presidente de la república) había ordenado exterminar a los "dos mil perros," combatientes paraguayos en su mayoría niños, que aún le quedaban a Solano López. Él, el predicador de la *civilización* contra la *barbarie*, debió suponer que era la civilización la que exigía que esos dos mil niños fueran aplastados bajo los cascos de los caballos invasores. (9)

Otra ausencia extraordinaria es la del máximo historiador paraguayo contemporáneo, Efraim Cardozo. En *Yo el*

Supremo son mencionados numerosos historiadores académicos y cronistas testimoniales (categorías en las que, por otra parte, no cabría con precisión la prosa lírico-ensayística de un Juan O'Leary, otro omitido). (10) ¿Cómo explicar, entonces, el vacío de Cardozo, conspicuo académico de la Historia? En el caso de Sarmiento, puede interpretarse como que se debe a la gratitud de Roa Bastos hacia sectores progresistas de Buenos Aires, que le ofrecieron su hospitalidad como a tantos paraguayos. Para estos sectores, el autor de *Facundo* es paradójicamente un abanderado del progreso. En el caso de Cardozo, un honesto demócrata liberal que si bien nunca encabezó, tampoco desalentó las tendencias más avanzadas de sus correligionarios, puede suponerse que se trata de una expresión de respeto del narrador hacia su coraje cívico. En la época de redacción de la novela, el llorado político, senador y presidente del mayor partido de oposición, sufría una agresión brutal, cobarde y calumniosa de parte de las élites más reaccionarias. Cuando *Yo el Supremo* se publicó, ya estaba muerto.

La actitud de Roa Bastos ante la historia es muy diferente a la de ciertos escritores identificados con el *boom*. Ya se ha estudiado la relación de *Yo el Supremo* con las novelas de tema histórico-legendario de Carpentier, García Márquez, etc. Ahora habría que establecerla con algunas más recientes.

Como un minotauro encerrado en el laberinto de su propio narcisismo, nutrido de la moda positivista y una masónica falsa conciencia europeísta, el proyecto liberal latinoamericano intentó conjugar la instauración de un librecambismo de flagrante complicidad neocolonial y el juego parlamentario de unos partidos de patronazgo, siempre testaferros en su cúpula de idénticos intereses oligárquicos, hasta el punto de que a veces debieron distinguirse por un apodo o un color. Al restablecer la pluralidad social del texto, autores revolucionarios como José Martí y Roa Bastos no escriben la historia, sino la desescriben y la hacen, como exigía Barrett, con una muerte y una vida parecidas a quemarropa a la resurrección de Gaspar Mora. En los Estados Unidos, uno de los centros más influyentes y conservadores del hispanismo internacional, los críticos "minotáuricos" celebran, por ejemplo, el hecho de que cierto autor argentino se haya preocupado por los espejos antes que Lacan, haya rehusado el historicismo antes que Foucault, y se haya reseñado a sí mismo antes que Genette o De Man. Este orfebre de pesadillas, cuya ceguera nos recuerda el primer ensayo de De Man sobre Derrida, y cuyos laberintos ignoran el sueño de Stephen Dedalus —"History is a nightmare from which I am trying to awaken"—, parece una ilusión óptica figurando un Derrida *avant la lettre*, como un Pierre Menard reescribiendo Nietzsche o, quizá, Sir Francis Bacon. El así llamado "post-estructuralismo" ha nacido de la deconstrucción de esa idea de Bacon, citada por Borges: cada texto representa una traza olvidada de una escritura subyacente. Laberinto, biblioteca o universo de naturaleza circular, infinita y babélica, el "texto" así concebido intenta abolir el texto en dos formas: como comunicación humana y como hecho social. El objeto de este asalto —sin duda a despecho de sus orígenes —anhela ejercer la hegemonía vanidosa y totalitaria de la crítica burguesa. El fetichismo de la "doble lectura", caído del cielo fenomenológico, olvida que la esquizofrenia es todavía patológica. Tal vez Alonso Quijano, Iván Karamazov, Benjy, Mersault o el Supremo hayan sido mentalmente excéntricos, pero el texto que hoy llamamos Cervantes, Dostoievski, Faulkner, Camus o Roa Bastos nos emociona por su lucidez y unidad, no por su lunática y errática *differance*. El fetichismo del minotauro consiste, no en un sacrilegio contra el logocentrismo occidental, como quisieran los derridianos, sino en un viejo tipo de binarismo: la alienación ideológica de la abstracta oposición concebida por Saussure en términos de "langue" y "parole" —los ejes metafórico y metonímico, según Jakobson—: un paradigma celestial y su mugriento espejo: sociedad, realidad, historicismo, vida y discurso humanos.

En América Latina esa alienación ha adquirido un

carácter colonial: el conocido conflicto definido por Sarmiento —nuestro primer minotauro— como "civilización y barbarie." La cultura dominante latinoamericana privilegia la "civilización" (es decir, Londres o Washington) como una "langue," y repudia la "barbarie" (es decir, nosotros) como una tosca y estúpida "parole." Cualquier macrocrítica honesta debería aspirar a pulverizar el esnobismo nordómano en América Latina. Algunos disfrutan, para usar la expresión de Lacan, el falaz y mítico "falo" del modelo o la "langue" europea. Para ir al grano, deberíamos más bien recuperar el "clítoris" de la realidad o la "parole" latinoamericana. Como mostró Bakhtin, la típica deconstrucción contra cualquier ideologema dominante es la parodia. Cervantes escribió *Don Quijote* como una paródica estrategia textual contra el nostálgico y absurdo logocentrismo de la Contrarreforma y su estética: el Barroco. Sancho, el verdadero héroe de la novela, se convierte en el mejor gobernador que tuvo Barataria. La "parole" de Sancho es el discurso del pueblo. Mientras tanto, la "langue" de don Quijote es un metafórico eco de silencio y muerte: la disfrazada huella de un glorioso pasado y un fantasma sarcástico entre las ruinas y calamidades de un presente teocrático y oprobioso.

Los cervantistas como José Hernández, José Martí, José María Arguedas y Augusto Roa Bastos ejercen la creación literaria como una artesanía colectiva, e imaginan el texto como una forma de pulverizar ideológicamente los valores consagrados. Los minotauros como Domingo Faustino Sarmiento, Jorge Luis Borges, Carlos Fuentes y Mario Vargas Llosa practican la escritura como un arte prestigioso y conciben el texto como un laberinto narcisista, destinado en última instancia a perpetuar las instituciones establecidas: así podemos leer, por ejemplo, *La guerra del fin del mundo*, de Vargas Llosa. En este impecable juego minotáurico, el escritor peruano pretende inventar el "estilo invisible," como si Flaubert nunca hubiese escrito *Salammbô* o él mismo *La orgía perpetua*. Una pseudorreivindicación de la "barbarie" latinoamericana, el verdadero héroe de este nuevo *Tirant lo Blanc* es un reportero de Bahía: fumador de opio como Herrera y Reissig, periodista como el mismo Vargas Llosa, y física e históricamente miope como Borges. El código moral de esta inoportuna "novela de caballería" es, por supuesto, la ética brutal de la Caballería brasileña. Las parábolas cervantistas se presentan siempre como una impugnación del logocentrismo. Se niegan a aceptar la tiranía aristotélica y la geometría eurocentrípeta. Anteponen la magia a la infalibilidad papal, el carnaval a la Semana Santa, el orgasmo a la biblioteca, la connotación a la cárcel del marqués de Sade. Por eso, el Supremo alcanza la lucidez en medio de la alucinación, y grávido de preguntas antienciclopédicas encuentra sus huellas de muchedumbre con las manos llenas de silencio.

Deconstructor de Rousseau un siglo antes que *De la grammatologie*, el Supremo apaga las luces del siglo y enciende la lámpara terrícola que la cultura ha trasvestido o degradado. Los historiadores liberales gemían porque el calendario positivista de uno de ellos, Comte, contaba el cuento de otro Augusto. Los cronistas populistas aborrecían que el inventor del supermacho fascista, Nietzsche, hubiera plantado a su hermana, en vez de sus espejismos, en el Paraguay. El gran maestre liberal remedó los dedos largos de la reina Victoria, y el torturador populista las mandíbulas de Mussolini. Ambos, claro, en nombre de la ciencia, el norte y la civilización. Una transparencia cartesiana, Polaroid de verano sabático, desnuda la nitidez de Canudos, que la civilizada caballería extermina con la obstinada brutalidad con que poco antes había masacrado al Paraguay. El logos, el prestigio cultural vienen de Europa, como la frenología y el anarquismo de Galileo Gall. Allí es donde hay que vender los libros, porque en la aldea natal... ¡hay tantos analfabetos que sólo "leen" con los oídos a Pedro Camacho! Recordemos, en cambio, la transfiguración paródica que sufre la leyenda histórica del banquete del gobernador Ribera en homenaje a Manuel Godoy, en *Yo el Supremo*, con la irrupción victoriosa del mito primigenio. O la parada militar que, con el difunto Fulgencio Yegros a la cabeza, luciendo como medallas los agujeros de su fusilamiento, carnavaliza la fanfarria castrense que hubiera conmovido al general Moreira César. Los minotauros odian contrapersonificar al héroe. Detestan la máscara de Alonso Quijano. Cuando sueñan un doble de álgebra, como Borges, lo extravían en el laberinto. Casi siempre el héroe culto se yergue, como una estatua de sal escoltada por pífanos marciales, entre una turbamulta de historiadores que han tejido la leyenda oficial, los manuales escolares y los *bést-sellers*. Su retrato prefigura, simétrico, al regente condecorado por la plutocracia reinante, de turno como en botica, para prestar oídos a "la voz de su amo." La precisión rinde sus beneficios.

La guerra del fin del mundo no ha terminado: los caballeros continuarán velando armas y daguerrotipos al pie de la civilización occidental. El Supremo, como Belgrano envuelto en una toalla o Echeverría soplando en el mate, es y no es. Delira como Macbeth y danza como la mujer araña. No podemos asir esa madeja de voces. No acabamos de leerlas y ya estamos hablando. Nos impiden la memoria y la cita. Prohiben que roamos los pies de página. Que el texto roa a Roa. Fusilan al ombligo del mundo. Ya no hay ángeles, sino oscuros fantasmas de la guarda. Los minotauros no transtextualizan. Se apropian. Evaporan el pasado con una niebla de gases lacrimógenos que atraviesan con una escafandra de la Rive Gauche. No tardarán en ser ungidos en busto o uncidos a un premio aritmético. No fingen un pasquín, como el marqués de Guarany, como el Supremo. Simulan que fingen metáforas: en realidad —nos dejan sospechar— son los accionistas de la Historia. Los académicos ejercen la titularidad de la leyenda como los minotauros literarios monopolizan los titulares del teletipo transnacional. En *Yo el Supremo* escriben todos. Pero la amnesia al revés del príncipe narcisista anestesia a las masas, cautivas todavía en el horno. Bocado de cardenal versus la eucaristía de Ernesto. El tiempo del texto, como la música, no sucede, sino gira. Sólo mueren los lectores, no Sultán ni

Patiño. Pero el Consejero muere en Canudos, y López en Cerro Corá. Pocos consuelos tan confortables como el de los mitos muertos, para quienes han elegido el oficio de manipularlos. Un El popular sale del Yo suprémico, más allá de la cronología y el olvido, porque ya estaba desde antes. En la historia oficial —que es la de los oficiales— nadie sobrevive, más que una triste palabra policiaca. Hidalgo escribe a Hernández, Emerson a Martí, Faulkner a García Márquez, Barrett a Roa Bastos. Escritores escritos por la escritura pero, sobre todo, por los pueblos, en quienes se reconocen huellas, paráfrasis y la compilatoria humildad de la invención solidaria. La zaga de Canudos no confiesa esta promiscua estratagema, ni siquiera la amarilla profecía de Da Cunha. La suya es una metáfora seria, como la que componen Dios y la Academia, o ambos a la vez, es decir, los profesores. A los teólogos del texto único les parece impertinente El Curioso Impertinente. Nada de técnicas chinescas. El Supremo escribe su novela sobre La Andaluza, su cuento sobre Tevegó, esa Comala o Santa María. Pero el periodista de Bahía no pasa de una crónica parlamentaria. Los cronistas por decreto estrangulan la intromisión del compilador. Olvidan que el exterminio del Paraguay y de Canudos por la Caballería brasileña obedece a la misma lógica de plomo con que han sido masacrados Túpac Amaru, los gauchos de Artigas, los montoneros de Felipe Varela y tantos otros patriotas y soñadores de nuestra América de ayer y de hoy. (11)

Pero examinemos más de cerca algunos ejemplos textuales de la estrategia "dialógica" de Yo el Supremo. Secuencias que sugieren que la escritura imaginativa es menos engañosa que las crónicas consagradas por la cultura dominante. Así, para contar el episodio en que un borracho apuñala el cadáver de Bonpland, el compilador se vale de una cita de Hijo de hombre. (12) Cuando el Supremo rememora su viaje a Córdoba, se refiere a su "presunto" padre y, como si conociera algunas teorías modernas sobre la novela picaresca, vincula esa dudosa paternidad con aquel género: "Quiere que me haga pícaro." El supuesto padre del Supremo se metamorfosea en el ciego del *Lazarillo*, a quien el hijo teólogo habría de servirle como "báculo." (13) De la picaresca, *Yo el Supremo* ha aprendido, en efecto, valiosas técnicas de relato autobiográfico. (14) Como en "El coloquio de los perros," es el perro Sultán un modelo de lucidez crítica, al censurar al Supremo los aspectos más aciagos de su dictadura: la tortura y la egolatría. (15) Esta novela "cervantista" lejos está de compartir la confesa admiración de otros autores actuales por la reaccionaria novela de caballería, contra la que fue expresamente escrita el *Quijote*. (16) Cuando el Supremo ridiculiza a su oficial de enlace, el "Amadís" Cantero, un "lector de novelas de caballería y escritor él mismo de bodrios insoportables," según Correia da Cámara, sugiere que los autores de este género no tienen otro oficio que "poner sobre el papel una espantosa mescolanza de hechos contrahechos, patrañas, falsedades de todo calibre," y el espionaje. (17) La porosidad "intertextual" de la novela nos muestra a Cándido y Cacambo, las criaturas que Voltaire situó en el Paraguay colonial, en medio de un almuerzo alucinante en compañía de los Robertson, los perros Héroe y Sultán, un fabuloso provincial jesuita y el propio Supremo. De pronto, el banquete —o "simposio"— se transfigura en un acto de lectura. (18)

Las deudas "intertextuales" de *Yo el Supremo* son numerosas, como ha señalado Peter Turton a propósito de Pascal. (19) Yo mismo no he advertido en un artículo anterior que una parte del episodio del Cuaderno de Bitácora consiste en una cita literal de Schopenhauer, tomada de un perdido ensayo borgiano. (20) Algunos escritores aparecen con su nombre trasvestido, como Manuel Puig, disfrazado de "Puigrredón." (21) Estos chistes no son ofensivos. Al contrario, al recordar al paraguayo Gabriel Casaccia —nombrado "Benigno Gabriel Caxaxia"—, el Supremo elogia la obra de éste sobre Areguá, como una "verídica historia." (22) Contrastar lo "verídico" de la novela de Casaccia con las falsedades de los historiadores y las "novelas de caballería", no deja de expresar un noble homenaje de Roa Bastos a su colega y compatriota, injustamente incomprendido y anatematizado por el chauvinismo provinciano local. (23)

El Supremo menosprecia al mismo Roa como "un mediocre escriba," y a *Hijo de hombre* como "una de esas innobles noveletas que publican en el extranjero los escribas migrantes." (24) Ferrer Agüero ha señalado algunas relaciones entre *Yo el Supremo* y la obra de Raymond Roussel. (25) A éstas se podrían añadir otras. En palabras de Jameson, la crítica de la historia lineal o evolucionista puede dramatizarse por la paradoja de una anécdota de Roussel acerca de un viajero que decía haber visto, tras el vidrio de un museo de provincia, *"le crâne de Voltaire enfant."* (26) En el Apéndice sobre "los restos de El Supremo" —migración que insinúa una sombría metáfora de un mito guaraní (27)—, se habla de la mandíbula de un niño "que, al morir conservaba la totalidad de su dentadura de leche," y hasta de la suela del zapato de "una criatura de corta edad." (28)

En otros pasajes, la carnavalización es más directa. A menudo, se basa en el uso coloquial del estilo, para ironizar la solemnidad pedante de los historiadores. "Belgrano y Echeverría," narra el Supremo, "tuvieron que sufrir en el purgatorio de Corrientes un largo plantón." (29) A veces, la sátira se despliega como juego de palabras: "Cuando Buenos Aires se convirtió en flamantes ruinas, Asunción la refundó. Buenos Aires se avanza ahora a querer refundirnos." (30) La risa se cierne en ciertos momentos sobre individuos concretos. Como en el carnaval, desfilan en el texto una y otra máscara. Hipólito, el hijo de Teseo enamorado de Fedra, su madrastra, es el historiador Hipólito Sánchez Quell, y el conquistador romano de las Galias es Julio César, pero Chaves, el presidente de la Academia Paraguaya de la Lengua. En cambio, el revisionista José Antonio Vázquez aparece con su propio nombre (o rostro), presentado como "amigo." (31) El deán Gregorio Funes, que "tanto instigó a Bolívar con la quimera de la invasión al Paraguay," es llamado "Grimorio Fúnebre," o sea, libro de magia negra. (32) El crítico francés Jean-Luc Andreu, de la Universidad de Toulouse, donde también enseña Roa Bastos, es aludido por el Supremo como Charles-Andreu Legard, "ex prisionero de la Bastilla, rumiando sus recuerdos en mi bastilla republicana." (33) Legard, también anagrama de Gardel, recuerda al célebre cantante popular, nacido precisamente en Toulouse. El antropólogo paraguayo Miguel Chase Sardi se muda en Chasejk, un lenguaraz nivaklé. (34) Y el propio autor, en un tal "senhor Roa," al que se queja amargamente Correia da Cámara. (35)

No sólo hay nombres carnavalizados, sino también episodios históricos, lengendarios y, aun, recientes. La evocación de la segunda fundación de Buenos Aires por las académicas paraguayas de la Historia, por ejemplo, consistió hace pocos años en el homenaje de un "centenar de damas patricias" a Ana Díaz, la paraguaya que había participado en la gesta de 1580. (36) Veamos como lo narra "proféticamente" al Supremo, el doctor Echeverría:

> Al anochecer llegaron al sitio... Allí se levanta un caserón mezquino, mezcla de convento, saladero y pulpería ...Una de las damas..., subió a un montículo de basuras y comenzó el discurso de circunstancias... Cuando mi amiga, la dama del discurso, clamó solemnemente por tres veces el nombre de Ana Díaz, apareció en la puerta una mujer en paños bastante menores. Aquí estoy, ¿qué buscan, misias?, dijo que la mujer inquirió destempladamente. La casa de Ana Díaz, replicó la dama. Hemos venido a hacerle un homenaje. Ana Díaz soy. Esta es mi casa... Ya habrán adivinado ustedes de qué lugar se trata: un vulgar Templo de Eros... (37)

La anécdota menor en que Correia da Cámara asiste a una representación teatral —supuestamente, *Gasparina*, obra del "Amadís" Cantero y sugiere al Supremo su interés sexual por la primera actriz, símbolo de la República, "una escultural muchacha payaguá que aparece en escena cubierta nada más que por las pestañas" y los tatuajes, sirve de pretexto para un festivo retruécano. El Supremo advierte al diplomático brasileño: "usted comprenderá que no puedo prostituir a la República arrimándola a su cámara. No, da Cámara, esta correia no es para su cuero." (38)

A veces, la carnavalización, el trasvestismo se somete a un proceso de re-mitificación, como en el caso del citado banquete ofrecido por el gobernador Lázaro de Ribera en 1804, interrumpido por la fulgurante aparición de un indio-tigre-meteoro. (39) En otras ocasiones, el texto visualiza una dramatización cómica de algunos sucesos, como el de la expulsión de Robertson, que el Supremo ordena, enfurecido, bañado en rapé fosfórico y untado de luciérnagas. (40)

Por otra parte, se desarrollan numerosas situaciones ucrónicas. El Supremo, dotado del don profético, se burla de Mitre, a quien apoda el Tácito del Plata, y ensaya una interpretación revisionista de la Guerra del Paraguay; (41) anuncia al mariscal paraguayo José Félix Estigarribia, futuro vencedor de la Guerra del Chaco; (42) describe los funerales del general Belgrano y la "migración" de sus propios restos; (43) y censura los retratos de los próceres —entre ellos, el suyo propio—, inventados por el pintor moderno Pablo Alborno. (44) Al "narrar el futuro," el Supremo invierte el discurso histórico, lo disuelve, como una estatua de sal, o "deconstruye." (45) En ciertos momentos, la técnica ucrónica, al abolir la cronología tradicional, permite un rico juego de planos simultáneos, como cuando el obispo Manuel López y Espinoza, encargado de la Diócesis paraguaya en 1765, continúa en 1840 su viaje alucinante desde el Alto Perú hacia Asunción, a pesar de sus 150 años de edad, y se desvía de la ruta que pasa por Córdoba del Tucumán, para evitar las guerrillas que estremecían el norte argentino en la época en que Roa Bastos escribía la novela. (46) Esta hiperbólica ancianidad del obispo parece anticipar la rabelesiana longevidad del patriarca de García Márquez. La simultaneidad se aplica también al esperpéntico desfile militar, al que asisten "superpuestos" los argentinos Herrera y Cossío, y el brasileño Correia, llegados al Paraguay en épocas diferentes. "En el mismo lugar aunque no en el mismo tiempo," como dicta el Supremo, los

tres diplomáticos contemplan esa parada fantasmal enca-
bezada por el citado Yegros, luciendo en el pecho las
heridas de su fusilamiento. (47) Finalmente, en el episodio
de la encuesta escolar, uno de los más conmovedores del
texto, el Supremo vaticina el destino de sus herederos
revolucionarios, los López. (48)

Yo el Supremo toma un claro partido ideológico en favor
de un proyecto socialista, humanista y revolucionario
para nuestra América. Repudia la ideología, el discurso y
las actitudes burguesas de los académicos de la Historia,
de quienes afirma sin circunloquios: "Cuanto más cultos
quieren ser, menos quieren ser paraguayos." (49) Más
adelante indica que el único camino para la integración
de una Confederación latinoamericana es un "proceso
verdaderamente popular y revolucionario." (50) Reapa-
rece así el umbral de la esperanza en la prosa del novelista paraguayo, tan estrechamente vinculado al concepto
de utopía de Bloch. (51) Esta esperanza es unívoca para el
Paraguay y la "patria americana," es decir, la unidad
latinoamericana frente al neocolonialismo. (52) En un
texto donde hay tanto substrato textual carnavalizado, no
deja de ser emocionante y significativo que ciertos documentos claramente revolucionarios, como la nota federalista emitida por la Junta paraguaya el 20 de julio de
1811, sean mostrados cabalmente, con profundo respeto
y camaradería. (53) Por último, cabe mencionar el riguroso
énfasis con que Roa Bastos ejerce la autocrítica revolucionaria, no sólo respecto al Supremo (54) o "la escritura,"
—dictadura egomaníaca de un Estado, y "dictadura" o
dictado de un texto unidimensional o hegemónico—, sino
el lenguaje mismo de dicha autocrítica, anticipando las
ideas liberadoras de su ensayo "El texto cautivo," (55)
contra la dominación transnacional del libro latinoamericano, su producción y su consumo. Y llegamos entonces
a la conclusión fundamental de este trabajo: Yo el Supremo, como el Quijote, el Ulises o "Nuestra América," es
una obra de anticipación. (56) No sólo de nuevos estilos o
movimientos literarios, sino de realidades sociales y pro-
cesos políticos y culturales, en América Latina y el resto

del mundo. El libro de Roa anuncia en 1974 el papel revolucionario que cumpliría en América Latina una "Iglesia de los pobres," a través de un nuevo estatuto moral de militancia religiosa, como ha acontecido en Centroamérica; (57) supera el viejo dogma realista y asume el arte como una "herejía" o profecía mítica, tal como habrá de definirlo muchos años después un dirigente sandinista; (58) y, en la indescriptible ternura del episodio de María de los Angeles Isasi, vuelca su inmenso y delicado respeto por la mujer paraguaya, para señalar el camino de una nueva clase de rebeldía y de feminismo en América Latina. (59) Gran parte de lo que podemos denominar escritura latinoamericana del post-*boom* se está produciendo en el exilio. En el exilio "exterior," por aquellos transterrados del Cono Sur, como Fernando Alegría, Rubén Bareiro Saguier, Mario Benedetti, Rodrigo Díaz Pérez, Ariel Dorfman, Eduardo Galeano, Juan Carlos Onetti, Manuel Puig o Elvio Romero. En el exilio "interior," por quienes han permanecido en sus países para testimoniar un desgarramiento no menos sombrío, como Jorge Canese o Eraclio Zepeda. Esta narrativa, vinculada a una cultura urbana del destierro, reconoce un excepcional antecedente: los cuentos de Roa Bastos, ambientados en Buenos Aires, ese "baldío" que es y no es paraguayo. (60) Los "exilios del escritor," que denuncia Roa Bastos, gravitan como una fatalidad en el Paraguay, hasta el punto de que podríamos interrogarnos cómo es posible que de uno de los rincones más olvidados de América haya surgido el autor de *Yo el Supremo*. Las dificultades de un paraguayo para alcanzar con su obra una trascendencia internacional son graves y numerosas. El aislamiento geográfico y cultural en que vivió y sigue viviendo este país mediterráneo, desde la época colonial, es uno de los más herméticos del continente. Aunque el Paraguay fue uno de los Estados sudamericanos más adelantados durante el segundo tercio del siglo XIX, la guerra neocolonial del 64-70, seguida de la enajenación de los últimos recursos fiscales en beneficio del capitalismo extranjero, lo convirtió en uno de los países latinoamericanos de más pobres recursos demográficos, financieros, industriales y tecnológicos, así como uno de los de menor extensión territorial. Un Estado autocrático ha permanecido vigente en el país desde su independencia, impidiendo el desarrollo de las instituciones parlamentarias y judiciales, la práctica del sindicalismo y las manifestaciones populares, la libertad de expresión, el debate político pluralista, la libre circulación del libro y otros medios culturales e informativos, y una efectiva autonomía universitaria. Ha perpetuado, por otra parte, una conciencia social temerosa de exigir sus derechos constitucionales o de denunciar la corrupción administrativa y la prepotencia policiaca, así como abortado el surgimiento de un público amplio, crítico y sensible a las novedades literarias, artísticas e ideológicas.

El Paraguay no ha sido una excepción en cuanto a la violencia con que la cultura latinoamericana ha sufrido la extirpación genocida de sus tradiciones indígenas, la adulteración ideológica del pensamiento de sus caudillos emancipadores, la simplificación aberrante de su patrimonio folklórico, la persecución de sus educadores y creadores artísticos más genuinos, y la penetración masiva de subproductos pornográficos y alienantes, dentro de su mercado cultural. Todos estos problemas deben inscribirse, desde luego, en una crispada situación de dependencia neocolonial, a la que hay que añadir, en el caso paraguayo, una subdependencia con la Argentina y, actualmente, con el Brasil. En cuanto a la situación específica del escritor paraguayo, que pertenece a una comunidad bilingüe, con todas sus secuelas conflictivas, nada se puede agregar a las palabras, sentidas en carne viva, con que la ha definido el propio Roa Bastos:

> el escritor paraguayo padece en su ostracismo local las persecuciones, encarcelamientos, torturas, desapariciones; la inseguridad personal e inestabilidad económica; la censura oficial y la autocensura con los efectos letales sobre su tarea; las divisiones y enfrentamientos dentro de la comunidad intelectual misma; la incomunicación del escritor con su público nacional. Con respecto al escritor que

> padece el exilio exterior, experimenta, más agravada aún,
> su desconexión con su público nacional; su desconexión e
> incomunicación con el pueblo de la diáspora, tanto cultural
> como política; los problemas traumáticos del desarraigo y
> de la difícil adaptación a otras áreas culturales en las
> propias zonas latinoamericanas y en las externas al conti-
> nente... (61)

A todos estos factores se suma el crónico menosprecio con que la crítica especializada, la investigación univer- sitaria y las editoriales del exterior han castigado a la literatura paraguaya. Ellas carecen de interés por la realidad de un pueblo sobre el que se cierne la más pesadillesca amnesia histórica. Muy pocos son los ex- tranjeros que consideran plausible la quijotada de escri- bir o publicar algo sobre este país silencioso o, más bien, enmudecido. Finalmente, en el caso particular de Roa Bastos, estamos ante un escritor de insobornable renun- cia a participar en cualquier forma de comercialización fraudulenta del libro latinoamericano, ni el indigno co- queteo con los manipuladores que tejen los premios inter- nacionales y la promoción artificiosa de las supuestas super-estrellas literarias. Su obra, rigurosamente ceñida a la realidad mítica y social de su propio pueblo, ha eludido sobriamente el narcisismo textual de muchos escritores latinoamericanos actuales, publicitados en el mercado internacional como superdotados "tecnócratas" o "chamanes" de la escritura o fundadores de una nueva metafísica. De esta manera, Roa no parece fascinar a ciertos críticos, obsesionados por ejercer su propio narci- sismo enciclopédico y eurocéntrico, a costa de aquellos autores más afines. (62)

En *Yo el Supremo* también hay fugaces alusiones al voseo moderno y el ambiente urbano asunceno, como ciertas "puterías por los quilombos de la calle General Díaz," (63) así como a los escritores exiliados que "se convierten en parásitos de otros Estados" y "pierden su lengua en el extranjero." (64) Pero Roa Bastos se yergue, sobre todo, como el gran precursor del post-*boom*, por su ejemplar desacralización del discurso "culto", de los amos del lenguaje "civilizado" de las academias, el mercado literario y las cátedras y revistas al servicio del imperialismo. En su prólogo a una gran novela de Fernando Alegría, de 1970, había escrito el paraguayo:

> El nombre de Vietnam es ahora un signo que desborda una determinada realidad histórica y geográfica... Cifra paradigmáticamente la tragedia de nuestro tiempo. En desquite, es el nombre de la pequeña nación el que flamea ahora como una llamarada de napalm sobre el nombre de la potencia imperial que pretende destruirla a sangre y fuego. (65)

Lo mismo puede decirse, hoy, a propósito de El Salvador, con la responsabilidad mayor de que ahora se trata de un país de nuestra América. Y así llegamos al final de la parábola. El Supremo había definido a Borges como símbolo del escritor narcisista latinoamericano, de esta manera: "Un insecto comió palabras. Creyó devorar el famoso canto del hombre y su fuerte fundamento. Nada aprendió el huésped ladrón con haber devorado palabras." (66) En la huella de Roa Bastos, y ya en pleno "post-boom", un joven novelista argentino no hablará de Borges. Simplemente, lo enviará a hacer pish. (67) El doctor de Córdoba es un héroe contracultural. Reforma catecismos, critica *Hijo de hombre*, escupe cocuyo inglés cuando expulsa a Robertson, o vomita calambur portugués al repudiar a Correia da Cámara. Los críticos, sugiere, se han ocupado hasta ahora de explicar los textos. Lo que hay que hacer es cambiarlos. Si *Yo el Supremo*, "una especie de summa donde puede leerse a contraluz los hechos reales de la circunstancia paraguaya," como acertó en designarla Edgar Valdés, (68) es también la novela fundadora de la escritura no-narcisista de nuestra América contemporánea y, como tal, ha principiado por replantear su propio lenguaje, reconsideremos también el lenguaje mismo de la crítica y el fetichismo de la hermenéutica supuestamente científica y autosuficiente. Todo texto es metáfora. Confesémoslo abiertamente. Y también que muchos escriben porque no les han dejado otra cosa que hacer.

Hombre y escritura forman una impecable unidad en Roa Bastos. Lo admiramos por su personalidad y su estilo pero, sobre todo, por una indisoluble unidad de obra y vida, de trabajo y conducta, que constituyen, como Martí en el siglo pasado, una de las más altas síntesis humanas de nuestro esperanzado continente.

NOTAS

(1) Jean Franco, "Dependency theory and literary history: the case of Latin America," *The Minessota Review* 5 (1975), pp. 65-79. Estoy en deuda con el profesor John Beverley, de la Universidad de Pittsburgh, quien me ayudó en la interpretación de este ensayo.

(2) Jonathan Culler, "Jacques Derrida, " en John Sturrock, ed., *Structuralism and since*; N. York; Oxford University Press, 1979, p. 159. El crítico norteamericano se refiere al estudio de Derrida sobre Husserl. Cuando el compilador, en la nota final de *Yo el Supremo*, afirma que ese libro "ha sido leído primero y escrito después," parece trazar, a su vez, una "deconstrucción" de toda la teoría derridiana.

(3) Beatriz Rodríguez Alcalá de González Oddone, "*Yo el Supremo* visto por su autor, y aproximaciones," *Letras de Buenos Aires*, 3 (1981), pp. 135-36. En otra parte de esta misma entrevista, añade Roa Bastos: "No he querido hacer un libro complaciente, una obra de evasión o de entretenimiento para lectores ociosos, sino una obra de reflexión, de crítica y de examen de conciencia para aquellos que hacen de la lectura un ejercicio de ascesis y que están entrañablemente preocupados por los problemas y por el destino de nuestro país." Ibidem, p. 138.

(4) Cf., por ejemplo, Giovanni Albertocchi, "La figura del dittadore in alcuni romanzi latinoamericani," *Ponte*, 33 (1977); pp. 616-25; Rubén Bareiro Saguier, "Augusto Roa Bastos e a Narrativa Paraguaia Atual," *Revista Letras*, 25 (1976), pp. 335-46; Mario Benedetti, "El recurso del supremo patriarca," *Casa de las Américas*, 98 (1976), pp. 12-33; Jorge Castellanos y Miguel A. Martínez, "El Dictador Hispanoamericano como Personaje Literario," *Latin*

American Research Review XVI, 2 (1981), pp. 79-105; Angela B. Dellepiane, "Tres novelas de la dictadura: *El recurso del método, El otoño del patriarca, Yo el Supremo,*" *Cahiers du Monde Hispanique et Luso-Brésilien* 29 (1977), pp. 65-87; Raúl Dorra, "*Yo el Supremo:* La circular perpetua," *Texto crítico,* 9 (1978), pp. 58-70; Luis María Ferrer Agüero, "La relación autor-personaje en *Yo el Supremo* de Augusto Roa Bastos," en Matyás Horányi, ed., *Actas del simposio internacional de estudios hispánicos* (Budapest: Akad, 1978), pp. 491-500; Bernard Fouques, "La autopsia del poder según Roa Bastos, Carpentier y García Márquez," *Cuadernos Americanos,* 222 (1979), pp. 83-111; David William Foster, *Augusto Roa Bastos* (Boston: Twayne, 1978); Martin Lienhard, "Apuntes sobre los desdoblamientos, la mitología y la escritura en *Yo el Supremo,*" *Hispamérica* VII, 19 (1978); Domingo Milliani, "El dictador, objeto narrativo en dos novelas hispanoamericanas: *Yo el Supremo* y *El recurso del método,*" en Horányi, cit., pp. 463-90; Janine Montero, "Historia y novela en Hispanoamérica: el lenguaje de la ironía," *Hispanic Review,* 47 (1979); pp. 505-19; Eva Golluscio de Montoya, "Presencia y significación de La Piedra en *Yo el Supremo,*" *Cahiers du Monde Hispanique et Luso-Brésilien* 29 (1977), pp. 89-95; Ángel Rama, *Los dictadores latinoamericanos* (México: Fondo de Cultura Económica, 1976)) Peter Turton, "*Yo el Supremo:* una verdadera revolución novelesca," *Texto crítico,* 12 (1979), pp. 10-60; Sharon Keefe Ugalde, "Binarisms in *Yo el Supremo,*" *Hispanic Journal,* 2, 1 (1980), pp. 69-77. Ferrer Agüero recoge una extensa bibliografía en su tesis doctoral *El universo narrativo de Augusto Roa Bastos* (Madrid: Universidad Complutense, 1981). En Francia se han dedicado a *Yo el Supremo,* volúmenes como *L'ideologie dans le texte* (Toulouse: Université de Toulouse-Le Mirail, 1978); *Seminario sobre Yo el Supremo de Augusto Roa Bastos* (Poitiers: Centre de Recherches Latino-Américaines de l'Université de Poitiers, 1980); J. Leenhard et al., *Litterature latino-américaine d'aujourd'hui* (Paris: Union générale d'editions, 1980); *Textos sobre el texto, 2° seminario sobre Yo el Supremo de Augusto Roa Bastos* (Poitiers: Centre de Recherches Latino-Américaines de l'Université de Poitiers, 1980).

(5) Fredric Jameson, *The Political Unconscious, Narrative as a Socially Symbolic Act* (Ithaca, N.Y.: Cornell University Press, 1981), p. 285.

(6) Augusto Roa Bastos, "Prólogo," en Rafael Barrett, *El dolor paraguayo* (Caracas: Biblioteca Ayacucho, 1978), pp. xxx-xxxi.

(7) González Oddone, p. 137.

(8) Para no citar sino los vinculados al Paraguay y el Río de la Plata, entre los más destacados, encontramos, "por orden de aparición," a Manuel Pedro de Peña (8), Mariano Antonio Molas (8), Policarpo Patiño (9), Pedro García Panés y Llorente (12), José Gervasio Artigas (26), José de Antequera y Castro (39), Diego de los Reyes Balmaceda (39), Domingo Martínez de Irala (39), Fulgencio Yegros (40), Juan de Mena (42), Pedro Somellera (44), Antonio Manoel Corrêa da Câmara (50), Simón Bolívar (83), Bernardino Rivadavia (87), Carlos de Alvear (87), Juan Martín de Pueyrredón (87), Bernardo de Velasco y Huidobro (88), Agustín de Pinedo (93), José Espínola y Peña (104), Manuel Belgrano (114), Bartolomé Mitre (114), Manuel Atanasio Cavañas (116), Juan Manuel Gamarra (117), Amadeo Bonpland (123), José Félix Estigarribia (124), Roque Antonio Céspedes Xeria (136), Pedro Juan Cavallero (168), Lázaro de Ribera (169), Fernando de la Mora (171), Antonio Thomas Yegros (171), Xavier Bogarín (173), Juan Manuel de Rosas (194), Vicente Anastasio Echeverría (207), Cornelio Saavedra (207), José García de Cossío (211), Mariano Moreno (221), Juan de Garay (236), Nicolás de Herrera (257), José del Casal y Sanabria (265), Manuel Dorrego (271), Gregorio Funes (287); Juan de Salazar (315), Facundo Quiroga (323), José de San Martín (323), José Antonio Sucre (324), Francisco de Paula Santander (324), Bernardo Monteagudo (325), Jesusa Bocanegra (351), Francisco Solano López (434) y Carlos Antonio López (434), estos dos últimos, sucesores revolucionarios del doctor Francia, quienes simbólicamente cierran la serie. Los números remiten a las páginas de la primera edición, Buenos Aires: Siglo XXI, 1974. Hay referencias sobre la mayoría de ellos en Charles J. Kolinski, *Historical Dictionary of Paraguay* (Metuchen, N.J.: The Scarecrow Press, 1973). Fuentes adicionales son Carlos R. Centurión, *Historia de la cultura paraguaya*, 2 vols., (Buenos Aires: Biblioteca Ortíz Guerrero, 1961); Julio César Chaves, *El Supremo Dictador* (Buenos Aires: Nizza, 1958); David Lewis Jones, *Paraguay, A Bibliography* (N. York: Garland, 1979). La lista de personajes universales incluye nombres tan heterogéneos como Rabelais (15), Washington, Franklin y Jefferson (37), Esopo (40), Pompeyo y César (40), Alfonso X, El sabio (42), Solón (43), Napoleón (45), Rousseau, Montesquieu, Voltaire y Diderot (45), Calígula (47), Pascal (53), Salomón (65), Tiberio (71), Maquiavelo (72), Homero (74), Cervantes (74), Josefina de Beauharnais (77), Robespierre (77), Diógenes (78), Tomás Moro (78), el marqués de Sade (80), Túpac Amaru (95), Descartes (106), Guillermo Tell (127), Chaucer (138), Swift (140), Donne (140), da Vinci (142), el marqués de Santillana (143), Borges (143), Nietzsche (143), Platón (144), Jesucristo (156), Newton (161), Shakespeare (207), Colón (209), el papa Borgia (255), Alejandro de Macedonia (279), el barón de Humboldt (285), Fernando VII (332), Abraham y Moisés (355), Poncio Pilatos (356), Martín Lutero (357), Confucio (401), Virgilio y

Cicerón (438), Agustín de Hipona (447), etc. No he encontrado los del Che Guevara y Hegel, como indica la señora González Oddone, en su entrevista citada, p. 131; aunque no se entiende si lo dice ella o transcribe a Enrique Raab. El inventario de nombres literarios es más breve y se presta a una lectura muy significativa: Sancho Panza (65), Hamlet (207), Fedra (235), Teseo (235), Caín y Abel (356), etc. Finalmente, una consulta siempre sugerente es José Antonio Vázquez, *El doctor Francia, visto y oído por sus contemporáneos* (Buenos Aires: EUDEBA, 1975).

(9) Roa Bastos, "Prólogo," p. xvi.

(10) Entre ellos, Juan Parish y William Parish Robertson (21), Johann Rudolph Rengger y Longchamp (21), J.M. Velazco ("Bel-Asco") (29), Pedro Lozano (42), Julio César Chaves (105), Thomas Carlyle (207), Hipólito Sánchez Quell (235), Guillermo Furlong (263), Félix de Azara (305), Francisco de Aguirre (305), Enrique Wisner de Morgenstern (386), Benigno Riquelme García (458), Jesús Blanco Sánchez (458), Manuel Peña Villamil (459), Juan Silvano Godoi (459), Alfred Demersay (460), R. Antonio Ramos (461) y Marco Antonio Laconich (463).

(11) Cf. Mario Vargas Llosa, *La guerra del fin del mundo*; Buenos Aires; Seix Barral, 1981; pp. 146, 170, 387, 423-24, para alusiones a la Guerra del Paraguay. Roa Bastos, *Supremo*, pp. 220-28, para la anécdota de Belgrano y Echeverría; y 82-84, sobre el marqués de Guarany. La crónica parlamentaria está en Vargas Llosa, pp. 131-38.

(12) Roa Bastos, pp. 291-92; *Hijo de hombre*; Buenos Aires; Losada, 1960; curiosamente, en la misma página, 291. La cita es desde "Unos años antes...," hasta "...tres días atrás," y está bastante modificada. El resto es apócrifo: Roa Bastos jugando a Avellaneda.

(13) Roa Bastos, *Supremo*, p. 297. Claro que el Supremo sería más bien, como *Rinconete y Cortadillo*, un pícaro por "su modo de hablar," como los define Julio Rodríguez-Luis, *Estructura y personaje en el arte narrativo de las Novelas Ejemplares* (Ann Arbor: University Microfilms, 1966), p. 288.

(14) Cf. Peter N. Dunn, *The Spanish Picaresque Novel* (Boston: Twayne, 1979), y el clásico Francisco Rico, *La novela picaresca y el punto de vista* (Barcelona: Seix Barral, 1970).

(15) Roa Bastos, pp. 414-21. Cf. Rodríguez-Luis, pp. 432-77.

(16) Cf. la intervención de Vargas Llosa en "Mesa Redonda: La Experiencia de los Novelistas," *Revista Iberoamericana* XLVII, 116-117 (1981), pp. 317-320.

(17) Roa Bastos, pp. 373-80. Chaves, p. 356.

(18) Roa Bastos, pp. 152-53. A propósito de *Candide*, Jean Sareil ha explicado el carácter deconstructivo de la hipérbole, en su *Essai sur Candide* (Gèneve: Droz, 1967).

(19) Turton, pp. 45-60.

(20) Juan Manuel Marcos, "Para una lectura de *Yo el Supremo*," *ABC Color*, 15 de marzo de 1981, pp. 5-7. Jorge Luis Borges, *Inquisiciones* (Buenos Aires: Proa, 1925), p. 93.

(21) Roa Bastos, p. 87.

(22) Roa Bastos, p. 371.

(23) Véase la polémica sobre el escritor recientemente fallecido, a propósito de su póstuma novela *Los Huertas* (Asunción: NAPA, 1981), en los diarios asuncenos *Ultima hora*, del 23 y 30 de enero, y 6 de febrero de 1982, y *ABC Color*, del 31 de enero de 1982. El eminente paraguayólogo Thomas E. Case acaba de publicar una entrevista a Casaccia en *Hispania*, 65, 1 (1982), pp. 123-25.

(24) Roa Bastos, p. 291 y 102, respectivamente.

(25) Ferrer Agüero, p. 386. La voz del Supremo, como Michel Foucault ha definido la de Roussel, es "una lengua de siempre trabajada por la destrucción y la muerte." Cf. su *Raymond Roussel* (Paris: Gallimard, 1963), pp. 61-62.

(26) Jameson, p. 139.

(27) Cf. Pierre Clastres, "Mitos y Ritos de los Indios de América del Sur," *Nicaráuac* 4 (1981), pp. 151-54.

(28) Roa Bastos, p. 461 y 463.

(29) Roa Bastos, p. 208.

(30) Roa Bastos, p. 225.

(31) Roa Bastos, pp. 235, 105 y 49, respectivamente.

(32) Roa Bastos, p. 287.

(33) Roa Bastos, p. 10.

(34) Roa Bastos, p. 183.

(35) Roa Bastos, p. 376. La cita es casi literal, recogida de los *Anais do Itamaratí*, IV (Río de Janeiro, 1938), citada en Chaves, p. 363.

(36) Hipólito Sánchez Quell, *Autoantología*; Asunción; Biblioteca Colorad Contemporáneos, 1977; pp. 40-44.

(37) Roa Bastos, pp. 237-38. Para ser breve, he tenido que mutilar un fragmento desopilante, que así pierde casi toda su gracia.

(38) Roa Bastos, pp. 253-56.

(39) Roa Bastos, pp. 261-65. Es imposible transcribir un párrafo que insinúe la fuerza y la belleza de este episodio. Se trata de una carnavalización casi literal de Chaves, pp. 63-68.

(40) Roa Bastos, pp. 338-43.

(41) Roa Bastos, p. 119.

(42) Roa Bastos, p. 124.

(43) Roa Bastos, pp. 277-78.

(44) Roa Bastos, pp. 411-12.

(45) Libros revisionistas recientes son los de Domingo Laíno, *Paraguay: de la Independencia a la Dependencia*; Buenos Aires; Cerro Corá, 1976 León Pomer, *La Guerra del Paraguay: ¡Gran negocio!*; Buenos Aires; Caldén, 1968 Vivian Trías, *El Paraguay, de Francia el Supremo a la Guerra de la Triple Alianza*; Buenos Aires; Cuadernos de Crisis, 1970 Richard Alan White, *Paraguay's Autonomous Revolution 1810-1840*; Alburquerque; University of New Mexico Press, 1978. Aunque la Casa Blanca ya estaba construida, en parte, en la época del Supremo, su "lapsus" de la p. 332, también sería profético, puesto que el nombre de la sede del Ejecutivo norteamericano solamente fue oficializado en 1902 por un significativo presidente: Theodore Roosevelt. Sólo tengo a mano la traducción al inglés de Eduardo Galeano, *Open veins of Latin America*; N. York: Monthly Review Press., 1973, que contiene un impecable capítulo sobre el Paraguay revolucionario.

(46) Roa Bastos, pp. 363-64.

(47) Roa Bastos, pp. 269-70.

(48) Roa Bastos, p. 434.

(49) Roa Bastos, p. 38.

(50) Roa Bastos, p. 228.

(51) Jameson, p. 285; y "Ernest Bloch and the future," en su *Marxism and Form*; Princeton, N.J.; Princeton University Press, 1971; pp. 116-59.

(52) Roa Bastos, p. 325.

(53) Roa Bastos, p. 380. Véase un análisis serio de la nota del 20 de julio en Adriano Irala Burgos, *La ideología del Doctor Francia*; Asunción; IDIA, 1975; pp. 2-32.

(54) Roa Bastos, pp. 454-56.

(55) Roa Bastos, "El texto cautivo," publicado por entregas en el diario asunceno *ABC Color*, hasta el 14 de febrero de 1982.

(56) Cf. el paralelismo entre *Yo el Supremo* y *Ulises*, establecido por el inglés Turton, pp. 12-17.

(57) Roa Bastos, pp. 365-66.

(58) Tomás Borge, "El Arte como Herejía," *Nicaráuac*, 4 (1981), pp. 111-19.

(59) Roa Bastos, pp. 348-52. Las ideas de este episodio están estrechamente conectadas con el de la carta de Telésfora Almada, pp. 434-35. Su desarrollo exigiría un estudio aparte.

(60) Roa Bastos, "El baldío," "Contar un cuento," "Encuentro con el traidor," "La tijera," "Él y el otro," en *El baldío*; Buenos Aires; Losada, 1966 "Ajuste de cuentas," en *Los pies sobre el agua*; Buenos Aires; Centro Editor de América Latina, 1967 y "Juegos nocturnos," en *Moriencia*; Caracas; Monte Avila, 1969. A estos habría que añadir los del destierro urbano "interior," es decir, de Asunción, como "El viejo señor obispo," "Audiencia privada," "La excavación," "La gran solución," en *El trueno entre las hojas*; Buenos Aires; Losada, 1953 "La rebelión," y "El pájaro mosca," en *El baldío*, op. cit. Esto es tema de otro estudio. Cf. los ensayos de Dorfman, Roa Bastos, Bareiro Saguier y Á. Rama, en "América Latina, ¿una literatura exiliada?," *Nueva Sociedad*, 35 (1978).

(61) Roa Bastos, "Los exilios del escritor en el Paraguay," *Nueva Sociedad*, op. cit., p. 33.

(62) Jean Franco, "Narrador, autor, superestrella: la narrativa latinoamericana en la época de cultura de masas," (traducción de John Beverley y Eliseo Colón), *Revista Iberoamericana* XLVII, 114-115 (1981), pp. 139-40. En este histórico artículo, la gran crítica inglesa señala a *Yo el Supremo* como la clausura del *boom* y el hito inaugural del post-*boom*.

(63) Roa Bastos, *Supremo*, p. 217.

(64) Roa Bastos, p. 318.

(65) Roa Bastos, "Prólogo," en Fernando Alegría, *Amerika, Amerikka, Amerikkka*; Santiago de Chile; Editorial Universitaria, 1970; pp. 20-21.

(66) Roa Bastos, *Supremo*, p. 144. No otra cosa dice Jean Franco en su demoledor "The Utopia of a Tired Man: Jorge Luis Borges," *Social Text*, 4 (1981), pp. 52-78.

(67) Cf. Jorge Asís, *Flores robadas en los jardines de Quilmes*; Buenos Aires; Losada, 1980; pp. 89-93. Dentro del post-*boom*, tres ejemplares modelos de escritura que restauran el referente a través de una recreación genuina del habla popular son la extraordinaria colección de cuentos *Andando el tiempo*; México; *Martín Casillas, 1982*; del mexicano Eraclio Zepeda; y las "novelas de frontera" *La sangre interminable*; México; Oasis, 1982, del uruguayo Saúl Ibargoyen, y *La revolución en bicicleta*; Barcelona; Pomaire, 1980, del argentino Mempo Giardinelli.

(68) Edgar Valdés, "Literatura paraguaya y realidad nacional," *Criterio* II, 2 (1977), pp. 8-14.

CONCLUSIONES

La obra literaria de Augusto Roa Bastos expresa una constante y voluntaria preocupación por la realidad histórica, social y cultural del pueblo paraguayo. No es posible trazar un estudio completo de ella, ni de sus manifestaciones principales, como *Hijo de hombre* y *Yo el Supremo*, sin tener en cuenta ese contexto.

En estas conclusiones deseo poner a dialogar las lecturas que hice de ambas novelas, con las coordenadas contextuales que les corresponden.

Respecto al periodo colonial, resulta evidente que Roa, consciente de la literatura mediocre y la mentalidad colonizada de criollos y peninsulares de esa época, carece de interés por antecedentes como *Río de la Plata* de Centenera o la experiencia jesuítica de las Reducciones. En *Hijo de hombre* no hay referencias a la época colonial, y las que recoge *Yo el Supremo* son escasas y más bien satíricas; por supuesto que los episodios de la vida del Supremo que transcurren antes de la Revolución de Mayo todavía se desarrollan bajo el dominio español, pero su interés es anecdótico, no histórico. El Supremo sólo llega a hablar con respeto y admiración de las Revoluciones Comuneras.

En cambio, respecto al periodo revolucionario, de los gobiernos de José Gaspar de Francia, Carlos Antonio López y Francisco Solano López, el autor se muestra profundamente interesado, sin ocultar su simpatía, así sea crítica, por el proyecto nacional elaborado durante ese periodo: elecciones populares sin manipulación de los criollos, abolición de la esclavitud, ejército nacional de jefes campesinos, persecución sistemática de los patricios y los clérigos españolistas o porteñistas; educación popular masiva, envío de jóvenes de familias humildes para cursar estudios técnicos y humanísticos en Londres y París a sueldo del Estado; desarrollo del periodismo, las letras, las artes, y las instituciones superiores de enseñanza; confiscación de los bienes eclesiásticos, estancias de la Patria, catecismo patrio reformado, solidaridad federalista y antineocolonial en la política exterior del país, instalación del primer ferrocarril de Sudamérica, los primeros altos hornos, el primer gran hospital público, concurso de profesionales europeos contratados por el Estado, etc. Ahora bien, la mirada que echa Roa Bastos sobre esta época no está cargada de economicismo o de curiosidad historiográfica, sino de una emoción propiamente poética, imaginativa. Parece obvio que sabe perfectamente que el capitalismo de Estado de Francia y los López era lo más avanzado y popular posible para cualquier país que surgiera de la noche colonial en aquellas circunstancias. Pero su preocupación profunda se dirige a indagar la naturaleza de lo que se ha llamado "el alma popular", es decir, el consciente y el inconsciente colectivos del Paraguay, nacidos en época de Francia y puestos a prueba en la guerra. ¿De dónde le viene al pueblo paraguayo su voluntad de sobrevivir como nación? ¿A qué se ha debido, primero, una resistencia de cinco años en una guerra contra tres países, apoyados por el mayor imperio neocolonial del mundo en esos momentos, y después esa resurrección en el Chaco? Tales son las preguntas que se hacen *Hijo de hombre* y, sobre todo, *Yo el Supremo*. En estas novelas, su autor no intenta inventar el mito de una Edad de Oro. Los gobiernos revolucionarios no fueron perfectos, y el narrador censura severamente sus excesos y contradicciones. Pero parece advertir, con sagaz lucidez, que tal vez lo más importante que aprendió el pueblo paraguayo en esa época haya sido que la defensa nacional tiene un sentido concreto, pues consiste, a la vez, en la defensa de una sociedad en la que todos pueden realizarse como personas. En otras palabras, que los héroes de la resistencia no defendían solamente un himno, una bandera y una retórica nacionalista viril, sino un concreto sistema social, igualitario y antimperialista, por el que valía la pena arriesgar la vida. Los capítulos de *Hijo de hombre* que se refieren a la guerra del Chaco, especialmente el octavo, "Misión", recuerdan el patriotismo de las proclamas de Solano López, y del soliloquio del Centinela talaveriano.

Pero la radicalidad paraguaya de *Hijo de hombre* y *Yo el Supremo* no puede ser comprendida desde una perspectiva histórica unilateral. Lo histórico no debe ser separado de lo social. El desprecio por la historiografía oficial —de la que *Yo el Supremo* constituye una gigantesca parodia, como el *Quijote* de los libros de caballería—, y su búsqueda de una "intrahistoria" más auténtica del pueblo paraguayo, emergen precisamente de una constante doble perspectiva, histórica y social, en la obra de Roa Bastos. En efecto, si sólo apelamos a la historia para explicarnos el heroísmo de los ejércitos de Solano López, ¿cómo podremos más tarde explicarnos el patriotismo de los combatientes del Chaco? La situación social de esa época era, a todas luces, mucho más injusta que en 1870 y, lo que es más grave, siguió siendo injusta, como el último capítulo de *Hijo de hombre*, "Ex combatientes", se encarga expresamente de denunciar. Como su maestro espiritual, Rafael Barrett, Roa Bastos profesa una profunda antipatía por la oligarquía liberal y legionaria, a la que acusa directamente de la existencia del infierno de los yerbales, en el capítulo cuarto, "Exodo", y de la que el Supremo se burla constantemente con visible sarcasmo. Sus simpatías están siempre dirigidas al pueblo, pero, ¿qué pueblo? ¿Por qué el mismo pueblo que defendió sus derechos ante la Triple Alianza, acudió generosamente a defender lo que, a primera vista, no eran más que los enormes latifundios del Chaco, para colmo en manos de capitalistas extranjeros? ¿Por qué defender las tierras del argentino Casado de la invasión boliviana con sangre de campesinos paraguayos sin tierra? La Guerra del Chaco tuvo lugar en un momento histórico de transición de los sectores dominantes del Paraguay, coincidente con la gran movilización popular causada por el reclutamiento masivo, y el surgimiento de líderes militares con aspiraciones de hacer carrera política, que se expresó apenas terminado el conflicto bélico con el derrocamiento del radical Eusebio Ayala por el populista Rafael Franco, todo lo cual tuvo que inspirar ciertas esperanzas de cambio al pueblo en armas. Así, los paraguayos habrían luchado, no en la defensa de una sociedad real como sus antecesores de 1870, pero sí por una sociedad posible, que podía nacer de las cenizas de las batallas chaqueñas. Como se sabe, el populismo —tanto en el Paraguay como en el resto de América Latina— no pasó de aprovechar la movilización de las masas para hostigarlas contra la vieja oligarquía terrateniente y semifeudal, y, al mismo tiempo, neutralizarlas respecto a sus intereses antagónicos con lo que él mismo representaba: una nueva burguesía, de mentalidad más moderna y, a veces, nacionalista y democrática, pero, en definitiva, interesada en perpetuar el sistema de clases y de dependencia neocolonial, a través del desarrollo de un capitalismo basado en la substitución de algunas importaciones, las obras de infraestructura, la estabilidad monetaria y la lucha contra la inflación, la capacitación profesional de las clases burocráticas, etc., y, sobre todo, el estímulo de las inversiones extranjeras y la represión sistemática —más o menos enmascarada— contra todo tipo de disidencia ideológica. Esta frustración es la que Roa Bastos describe en "Ex combatientes". En cierto modo, la abulia y la mediocridad de Miguel Vera, el protagonista de clase media de *Hijo de hombre*, pueden recordarnos las de Ramón Fleitas, el borracho escritorzuelo de *La babosa*, de Casaccia. Lo que diferencia a uno de otro personaje radica en que la novela de Casaccia, típicamente populista, no sugiere más salidas que la resignación o el escepticismo —que, en cualquier caso, justifica la aparición del líder fuerte, carismático, y providencial, que ponga a trabajar a todos los haraganes del país—, mientras que la del segundo señala una esperanza de salvación colectiva, a pesar de esa nueva frustración histórica, que tendrá que encarnarse en el "pueblo-muchedumbre" que invoca *Yo el Supremo.*

En resumen, desde el punto de vista de la identidad nacional paraguaya, la novelística de Roa Bastos consiste, esencialmente, en dos programas estético-ideológicos: primero, en indagar las causas políticas y las consecuencias morales de cuatro grandes fracasos históricos en el Paraguay independiente: la derrota del Estado revolucionario frente a la Triple Alianza, que aquél atribuye fundamentalmente a la obsesión del doctor Francia por el poder absoluto; la imposibilidad por parte de la oligarquía liberal de elaborar una retórica nacionalista coherente, sobre la base real de la desnacionalización económica y cultural del país, que el autor denuncia en "Exodo"; el carácter flagrantemente tardío de la aparición histórica del reformismo radical en el país, en medio del caos fiscal y la insuficiencia material en que la rapaz oligarquía agroexportadora lo había postrado, tanto económica como militarmente, y que Roa Bastos señala en "Madera y carne", "Estaciones", "Hogar", "Fiesta", y "Destinados"; y, por último, la desilusión popular ante el proceso populista, que se observa en "Ex combatientes". Pero Roa considera que dichos fracasos no han impedido una consecuencia moral, reiterada y paradójica: la voluntad de sobrevivir del pueblo (y sus proyectos esenciales) hasta más allá de la muerte, como los mitos de *Yo el Supremo* y los héroes de "Exodo" y "Misión", que reproducen la "huida a Egipto" de José y María y, después, la pasión de Cristo, respectivamente; del mismo modo, como la identidad nacional forjada por el gobierno del doctor Francia pervive a su fundador en la conciencia colectiva, la pureza, la nobleza, la generosidad esencialmente popular de los oprimidos encarnada en Gaspar Mora sobreviven al artista leproso y se cifran en el Cristo laico que él talló en la selva. Como se ve, hay una intención estético-ideológica de: no solamente "desmitificar" algunos mitos de la cultura oficial, sino de "remitificarlos" al servicio de los intereses populares: una cultura de la resurrección. Y este es el segundo programa de su novelística.

Diagnosticar las raíces del subdesarrollo social y la dependencia económica del Paraguay, fiel a los sueños más elevados de su pueblo, y, simultáneamente, proponer un nuevo código estético-ideológico para la interpretación de su identidad intrahistórica, que es, a pesar de cada matiz, la misma en toda América Latina: la búsqueda de la liberación a través de los nuevos —pero también originarios— mitos salvadores.

ÍNDICE

COLECCIÓN CUENTO Y NOVELA

Esta edición consta de 2000 ejemplares y se terminó de imprimir el día 26 de agosto de 1983, en los talleres de Negativos Multicolor, S.A. de C.V., Colombia núm. 6, México, D.F. Tel. 526-29-06. Se utilizaron tipos Bodoni Book Roman e Italic y Bodoni Roman e Italic. El cuidado estuvo a cargo de Consuelo Moreno, Melba Guariglia Zás y Uriel Martínez.